S0-CAV-827

از آینه بپرس

www.chahlachafiq.com

از آینه بپرس

شهلا شفیق

رمان

نشر باران

از آینه بپرس

شهلا شفیق

نشر باران، سوئد

چاپ اول: ۲۰۱۷ (۱۳۹۶)

شابک: ۴-۷۹-۸۵۴۶۳-۹۱-۹۷۸

روی جلد: محبوبه

Baran
Box 4048, 163 04 SPÅNGA, SWEDEN
info@baran.se
Tel:+46-(0)8-88 54 74
ISBN: 978-91-85463-79-4

"میان پنجره و دیدن،
همیشه فاصله‌ای ست"
فروغ فرخزاد

پنجره

۱

"من؟ ... یه جورایی می‌شه گفت جنده‌ام!"

لبخند روی لب مرد یخ زد و دستش که جام شامپانی را به دهان می‌برد از حرکت باز ایستاد. گیتا دنبال کلماتی گشت تا سکوت سردی را که ناگهان برقرار شده بود بشکند، اما چیزی به فکرش نرسید. به رسم معمول در مهمانی‌های بزرگ، تصادفی وارد گفتگو با زن و مردی شده بود که هیچکدام را نمی‌شناخت. دقیقه‌ای پیش به گوشش خورده بود که اسم زن هلن است.

"خرجم رو شوهرم می‌ده! وقتی بچه‌دار شدم از کارم بیرون آمدم."

لبخندی بی رمق بر لب مرد ظاهر شد. نگاه چالشگر زن همچنان به مرد خیره بود. گیتا با سرخوشی به هلن نگاه می‌کرد که گردن کشیده‌اش به حالت مغرورش می‌افزود. پیراهن ابریشمی بی آستین، قامت کشیده و شانه‌های پهن زن را که موهای طلایی‌اش بر آن ریخته بود، به نمایش می‌گذاشت.

"موافقین قدمی بزنیم؟"

بی آنکه منتظر جواب باشد بازوی گیتا را گرفت. گیتا به مرد که همچنان حیرتزده می‌نمود لبخند زد و همراه هلن به راه افتاد. گرمای تابستان که تا میانهٔ سپتامبر پاییده بود به نیمه شب پاییزی حال و هوای خوشایند شبی تابستانی می‌بخشید. موسیقی جاز ملایمی

طنین‌انداز بود. دور میزها، مهمان‌ها، نشسته یا ایستاده سرگرم گفت‌وگو بودند. پیشخدمت‌ها سینی به دست بین مهمان‌ها می‌چرخیدند.

"حالم از این حرف‌های تکراری بهم می‌خوره: چیکاره‌این؟! کجا کار می‌کنین؟! جز این چی دارن به هم بگن؟"

"تو مهمونی‌های بزرگ شاید این تنها راه باز کردن سرِ صحبت باشه"

"این حرف‌ها در واقع کدهای این جماعته. هیچی نیستن جز شغل و مقامشون... کارمند عالی‌رتبه، مهندس، کارشناس، همچین گه‌هایی!"

هلن از راه رفتن باز ایستاد و چشم به گیتا دوخت: "شاید شما هم مهندس یا کارشناس باشین. قصد توهین نداشتم."

"بله! مهندس کامپیوتر هستم."

"شرط می‌بندم همهٔ مهمونا تو کار کامپیوتر باشن! قدرت تخیل صاحبخونه صفره."

"خیلی‌ها تو محیط کار با هم آشنا می‌شن."

"شما با صاحبخونه همکارین؟"

"رئیس‌امه!"

"چه وحشتناک! مهمونی رئیس بایس خیلی خسته‌کننده باشه."

"من شب‌نشینی‌های فرانسوی رو دوست دارم."

"مال کجایین؟"

"ایران!"

هلن به میزی نزدیک استخر اشاره کرد: "موافقین بشینیم؟"

پشت میز جا گرفتند. هلن به استخر نگاهی انداخت:" واسه پروندن مستی آخر شب بد نیست!"

مردی با موهای جوگندمی و قامت متوسط نزدیک شد. گیتا، ژاک وایان، رئیس بخش ارتباطات موسسه را به جا آورد. مرد به گیتا سلام داد و رو به هلن کرد. می‌خواست مطمئن شود هروقت که خواست ترک مجلس کند به او خبر می‌دهد.

هلن با نگاه مرد را که دور می‌شد تعقیب کرد: "می‌ترسه بی‌خبر از اینجا برم. یا افتضاحی بالا بیارم!"

گارسون را صدا زد. هریک جامی شامپانی برداشتند. هلن جام را به لب برد: "می‌ترسه زیادی مشروب بخورم و گریه‌زاری راه بندازم."

جرعه‌ای دیگر نوشید: "گریه بلند زن‌ها مردها رو به وحشت می‌ندازه. بخصوص در جمع!"

"تو مجلس عزا در کشور ما خیلی پیش میاد که مردها هم ضجه بزنن."

"ماها برعکس! اگه گریه‌ای در کار باشه، اصلاً شیک نیست پر سر و صدا باشه. عزارو نباید زیادی کش بدیم. شادی باید دوباره شروع بشه!"

"این از عزاداری دایمی بهتر نیست؟"

"نمی‌دونم ...

آهنگ شاد و پرسرو صدایی برخاست. جمعی در میز کناری مستقر شدند.

هلن گفت: "ما دایم درتلاشیم مرگ رو فراموش کنیم. نماد انقلاب کبیرمون هم با همه خون‌ریزی‌هاش، جشنه. گویا در مورد انقلاب شما برعکسه، سمبلش عزاست... جایی این رو خوندم."

"درسته! تقویم انقلاب با عزای شهدا تعیین می‌شد و با سالگرد مرگ امام‌ها. مرگ موتور محرکه بود."

"و خود شما... شده تا حالا با مرگ روبه‌رو بشین؟"

هلن عجولانه افزود: "منظورم اینه که مرگ‌رو در ذهنتون چطور مجسم می‌کنین؟"

گیتا، همون‌طورکه طعم گس شامپانی را مزه مزه می‌کرد، کوشید به فکرهایی که به سرش هجوم می‌آوردند نظم بدهد. "برای من شکل و شمایلی نداره... اما حسش می‌کنم ... سرد و لزج..."

هلن آهسته گفت: "دقیقاً همین‌طوره! سرد و لزج و چسبنده!"

هردو، اندیشناک، ساکت ماندند. از میز پهلویی زنی برخاست و در محوطه میان میزها آغاز کرد به رقصیدن. مردی به همراهی او

برخاست. پیراهن سفید دکولته، درخشش پوست برنزه زن را چند برابر کرده بود.

هلن نجواکنان گفت: "این سرما توی جون من نشسته."

گارسون را صدا زد و شامپانی دیگری برداشت و روی میز گذاشت: "سه سال گذشته ... اما از گذر فصل‌ها کاری بر نمی‌یاد!"

نگاهش را به اطراف چرخاند. چند نفر دیگر به زوجی که می‌رقصیدند ملحق شده بودند.

"اولین روز بازگشایی مدارس بود. بعد از تعطیلات تابستانی. من مدت‌ها بود شغل معلمی رو کنار گذاشته بودم. پسرم هم خیلی وقت بود از سن مدرسه رفتنش گذشته بود. از وقتی که به دنیا اومد، کارم رو ول کردم. شوهرم درآمدش خوبه. همون‌طور که می‌دونین کارمند عالی‌رتبه‌ست."

لبخندی محو روی لب‌های هلن ظاهر شد. جرعه‌ای نوشید و از سر گرفت: "پسرم همهٔ زندگیم رو پر می‌کرد. کاملاً درکش می‌کردم. اونقدر که وقتی معتاد شد خودم براش سرنگ می‌خریدم ...."

"چه عجیب!"

"سعی می‌کردم منصرفش کنم ولی نمی‌خواستم بهش زور بگم. نمی‌تونست خشونت دنیا رو تحمل کنه."

تکرار کرد: "می‌فهمیدمش."

نگاهش را به استخر انداخت و دوباره رو به گیتا کرد: "اون روز تو وان حموم پیداش کردم. اوردوز!"

گیتا نمی‌دانست چه بگوید. فکر کرد دست هلن را بگیرد و بفشارد. اما بی حرکت سر جایش باقی ماند.

"صورتش آروم بود. کنارش دراز کشیدم. بغلش کردم. مثل بچگی‌هاش شستمش. آب گرم بود، اما تنش سرد."

شانه‌های هلن با حرکت خفیفی بالا رفت: "اون سرما برای همیشه چسبید به پوستم ... نشست توی تنم ... فقط وقتی حسابی مشروب می‌خورم ازش خلاص می‌شم، اما حالت تهاجمی پیدا می‌کنم."

گیتا گفت: "خوب می‌شناسم این حس بد رو."
صدای کف زدن از میز پهلویی بلند شد. زن و مردی که می‌رقصیدند داشتند به طرف میز برمی‌گشتند.
هلن گفت "چطوره قدمی بزنیم؟"
برخاستند و به سویی رفتند که از سر وصدای مجلس دورشان می‌کرد. گیتا برای هلن تعریف کرد چگونه زندگی‌اش با از دست رفتن کودکش و خواهرش، به تسخیر مرگ در آمده بود. روی نیمکتی نشستند. هوای خنک شب با ملایمت در برشان گرفت. نوای تانگو از دور به گوش می‌رسید.
گیتا گفت: "فکر نمی‌کردم بتونم از این حال بیام بیرون ... اما عاقبت شد."
"چطور؟ از چه راهی؟"
"نمی‌تونم دقیقاً بگم ... شاید با پشت کردن به گذشته ..."
"شدنی هست واقعاً؟"
"درها را روی گذشته بستم ... به کمک پنجره."
"پنجره؟!"
"اینترنت! که مثل پنجره به دنیاهای دیگه باز می‌شه."
"دنیاهای مجازی! و ما اسیر تصویرها!"
"من می‌تونم ساعت‌ها پشت پنجره بنشینم و رویا ببافم."
مکثی کرد و افزود: "سال‌های نوجوونی، پنجره اتاقم رو به سالن پذیرایی خونه همسایه باز می‌شد. اونجا همیشه جشنی به پا بود ... شب‌های هیجان‌انگیزی رو پشت اون پنجره گذروندم."
هلن لبخند زد: "کی می‌گه گذشته‌ها گذشته؟!"

۲

وقتی گیتا به خانه رسید ساعاتی از نیمه شب گذشته بود. با آنکه به شب زنده‌داری عادت نداشت هیچ احساس خستگی نمی‌کرد. در آینه قدی خود را ورانداز کرد. سپیدی پوست آفتاب نخورده‌اش در پیراهن مشکی یقه باز و بی آستین، رنگ و روی برنزه مهمان‌ها را به ذهنش آورد؛ و اینکه برخلاف اطرافیان، سفرهای تعطیلاتی جایی در زندگیش نیافته بود. چند سال پیش با یکی از همکارها که به او کششی پیدا کرده بود، در تعطیلات تابستان به شهر نیس رفته بود. چند روزی بیش نگذشته بود که در بلبشوی کلافه‌کننده پلاژها و هیاهوی رستوران‌ها دریافته بود نه مرد همراهش را دوست دارد و نه سفر در تعطیلات را. بعد از آن، مرخصی‌هایش را به خواندن رمان و تماشای فیلم و پرسه در موزه‌ها و کافه‌نشینی می‌گذراند. از تماشای آدم‌ها و گوش سپردن به حرف‌های پراکنده لذت می‌برد و به همین خاطر از شرکت در میهمانی استقبال می‌کرد.همیشه پیش از نیمه‌شب مجلس را ترک می‌کرد تا نظم خوابش بهم نخورد. دوست نداشت نظم و آسودگی روز و هفته و ماهش دستخوش آشفتگی شود. هرگاه چنین می‌شد گویی تهاجم زمان مضطربش می‌کرد.

امشب اما گفت و گو با هلن از گذر زمان غافلش کرده بود. با اینهمه خود را سر حال و قبراق حس می‌کرد. طعم نعنایی خمیر دندان بر نشاطش افزود. مسواک را سر جاش گذاشت و در آینه دستشوئی به خود نگاه کرد. انگار از خوابی عمیق و دلپذیر برخاسته باشد خطوط صورتش آرام و پوستش شفاف بود.

به حرف‌هایش با هلن فکر کرد. عجبا که یادآوری گذشته آرامش

را هیچ بهم نریخته بود، انگـار داسـتان زنـدگی یـک نفـر دیگـر باشـد. وب‌سایتی که تازگی کشف کرده بود به ذهنش آمد. سرخوش به طرف کامپیوتر شتافت. به سراغ صفحهٔ "گذشتهٔ بازیافته" رفت و پیغـام‌هـای تازه را خواند.

مردی پی همکلاسی‌های دبیرستانی‌اش در تهران مـی‌گشـت. زنـی که راهی تبعید شده و در سوئد زندگی مـی‌کـرد دنبـال ردی از رفیـق هم‌سازمانی سابقش بود. تنها نام مسـتعار او را مـی‌دانسـت و ایـن کـه آذربایجانی بوده و عاشق صدای بنان. زن دیگری دنبـال مشـتری‌هـای آرایشگاهی در ساوه می‌گشت کـه پیشـگویی‌هـای درسـت فـال قهـوه صاحبش شهرت داشت. آرایشگر طـلاق او و رفتـنش بـه آمریکـا را تـه فنجان خوانده بود. زن همیشه از خود می‌پرسـید ایـن فـال چقـدر در تغییر زندگیش نقش داشته. دوست داشت در این باره با مشـتری‌هـای دیگر فالبین حرف بزند.

گیتا هوس کرد خود را یکی از آن مشتری‌ها معرفی کند. فکـر کـرد چه جوابی برای زن بهتر است. پاسخی نیافت و منصرف شد. ناگـاه بـه فکر افتاد خودش پیغامی بفرستد.

"قبل از انقلاب در کوچه صبا در محلـه یوسـف‌آبـاد تهـران زنـدگی می‌کردم. اگر شما هم ساکن این کوچه بوده‌اید خوشحال مـی‌شـوم بـا شما در این‌باره گفت و گو کنم."

وقت امضای پیغام به سرش زد اسم دیگری بـر خـود بگـذارد. نـام "مرسده"، محبوبهٔ کنت دو مونت کریستو، از شخصـیت‌هـای داسـتانی مورد علاقه‌اش در آن سال‌ها، به ذهنش آمد.

امضـا کـرد: مرسـده دادور، نـام فامیـل یکـی از همکلاسـی‌هـای دبیرستانی، دختر ساکت و گشاده‌رویـی کـه ناپدیـد شـدن ناگهـانیش جنجالی در دبیرستان به پا کرده بود. می‌گفتند از خانـه گریختـه و بـا معشوقش به دیاری ناشناس رفته است.

پیغام را فرستاد. کامپیوتر را خاموش کرد و به رختخـواب رفـت. در انتظار خواب که خیال آمـدن نداشـت بـه تجسـم پاسـخ دهنـده‌هـای

احتمالی پرداخت و ذهنش به آن سال‌ها بازگشت.

پس از آن، شبی از پس شب دیگر، گذشتهٔ مدفون سر بلند کرد؛ از ورای صحنه‌هایی که گیتا در آن، مثل آنچه در رویا می‌گذرد، هم خودش بود و هم دیگری؛ هم اول شخص و هم سوم شخص.

۳

مامان پیراهن یشمی براق را از کمد لباس بیرون می‌آورد و به صندلی جلوی میز آرایش می‌آویزد. پیراهن خانه را از تن به در می‌آورد. لبهٔ تخت می‌نشیند. پای راستش را کمی بالا می‌آورد و بعد پای چپ را. جوراب را آرام آرام روی ساق‌ها می‌لغزاند. از جا بلند می‌شود. بند جوراب مشکی، سفیدی ران‌های پرش را بیشتر به چشم می‌کشد. خم می‌شود تا جوراب را به گیره‌های بند جوراب وصل کند. پستان‌های گرد از کرست مشکی بیرون می‌زنند و با هم مماس می‌شوند.

چقدر دلم می‌خواهد دستم را روی این پستان‌ها بکشم. صورتم را در گودی میان‌شان پنهان کنم. مامان لباس را از صندلی برمی‌دارد. زیپ آن را پایین می‌کشد و به تن می‌کند.

"اینجایی گیتا! بیا جون دلم! این زیپ رو بکش بالا!"

پوستش مرطوب است و حرارت ملایمی دارد. پرزهای نرم خطی را از گردن تا کمرگاه هاشور زده‌اند. انگشتم را می‌کشم روی خط و صورتم را به آن می‌چسبانم. عطر ملایم رُز توی دماغم می‌پیچد. صدای مامان بلند می‌شود.

"چکارمی‌کنی گیتا؟! مثل نی‌نی کوچولوها! بکش بالا زیپ رو، عجله دارم!"

زیپ را بالا می‌کشم. خط عطرآگین ناپدید می‌شود. صورتم را به شانه‌اش می‌چسبانم.

"خوب! خوب! دیرم شده."

از من جدا می‌شود و به طرف میز آرایش می‌رود. پیراهن قالب تنش

است؛ بی‌یقه و بی‌آستین روی گودی کمر چین می‌خورد و تا روی زانوها می‌رسد.
"بدو مامان جان! اون کفش‌های مشکی سگگ نقره‌ای رو بیار!"
این کفش‌ها را خوب می‌شناسم. پاشنه‌های سوزنی بلند دارد. بارها سعی کرده‌ام ولی نمی‌توانم با آن راه بروم. مامان کفش‌ها را به پا می‌کند و با قدم‌های چابک به طرف میز توالت می‌رود. در آینه به خود می‌نگرد و موهایش را مرتب می‌کند. کیف نقره‌ایش را به دست می‌گیرد و به طرف در می‌رود. وقت باز کردن در، نگاهی شتابزده به من می‌اندازد:
"شب دیر برمی‌گردیم. شام نخورده نخوابی!"
صدای بوق ماشین پدر بلند می‌شود. از پنجره مامان را نگاه می‌کنم که به سمت ماشین می‌رود. کفل‌هایش حرکتی موزون دارد هماهنگ با ساق‌ها و بازوهای برهنه که سپیدی‌شان در پیراهن یشمی جلوه می‌کند.

۴

عادت ماهانه گیتا آمده بود ولی ران‌هایش همچنان باریک و کفل‌هایش کوچک مانده بود. بی‌بی به دلداری می‌گفت هرچه دیرتر استخوان بترکاند دیرتر پیر می‌شود، اما گاه به او تشر می‌زد چرا درست و حسابی غذا نمی‌خورد تا سر و سینه‌اش مثل زن‌های کامل که پستان‌ها و ساق و کفل‌هاشان نگاه‌ها را به خود می‌کشند پر و پیمان شود. نگاه گیتا اما خیره به زن خانه روبه‌رو بود، که شکوه تصویرش در قاب پنجره صد برابر می‌شد.

در تابستان سال پنجاه و سه، وقتی گیتا پا به چهارده سالگی می‌نهاد، پدرش دکتر سلیم، مادر را که راضی به دور شدن از خویشانش نبود قانع کرده بود از ساری به تهران نقل مکان کنند. پدر می‌خواست هما، دختر بزرگ خانواده، که سال آخر دبیرستان بود، با امکانات پایتخت شانس بیشتری برای پیروزی در کنکور دانشگاه و قبولی در رشته پزشکی دانشگاه تهران به دست بیاورد. بی‌بی، بیوه‌ای که بعد از سال‌ها خدمت در خانۀ دکتر سلیم، عضو خانواده محسوب می‌شد، پذیرفت همراه آن‌ها به تهران برود. تنها پسرش را زن داده و به سر و سامان رسانده و خیالش از جانب او راحت بود.

خانواده سلیم در محله یوسف‌آباد، در کوچه صبا، که ساکنانش خانواده‌های متوسط مرفه و امروزی بودند منزل کرد. در خانۀ جدید اتاقی نصیب گیتا شد که پنجره‌اش روبه‌روی پنجره اتاق پذیرایی خانه زنی بود که انگار آفریده شده بود تا سودا بیافریند.

خیلی زود، این پنجره به روزنه‌ای جادویی بدل شد که چشم‌های حساس گیتا را به گشت و گذاری پرماجرا دعوت می‌کرد. رفت و آمدها در خانه زن همسایه موضوع همیشگی پچ‌پچ‌های محله بود. شب‌ها

نوای موسیقی با بوی قهوه از پنجره‌های خانه او به بیرون درز می‌کرد و در کوچه می‌پیچید؛ بویی که همان‌قدر با عطر چای هر روزهٔ خانه‌های کوچه فرق داشت که زن با زن‌های دیگر.

شب‌هایی که شرایط خانه اجازه می‌داد، گیتا چراغ اتاقش را خاموش می‌کرد و پشت پنجره می‌نشست. در این ساعت‌ها کوچه آرام بود. گاه صدای ترمز ماشین یا بسته شدن دری، سکوت را به هم می‌زد. در تاریکی، از میان پرده‌های نیمه‌باز پنجره، منظری روشن، بسان رویایی نمودار می‌شد: گوشهٔ فرش قرمز، مینیاتوری بر دیوار، دامن بلند سیاهی که به زمین کشیده می‌شد.

زن همیشه سیاه می‌پوشید. پیراهن‌هایی سیاه و بلند تنش را کاملاً می‌پوشاند. صورتش را هم آرایش غلیظی می‌پوشاند. دور چشم‌های آهوانه‌اش خط سیاهی می‌کشید. مژه‌هایش از ریمل سیاه بود و لایهٔ کرم پودر به صورتش رنگ شیری می‌داد. سرخی تند ماتیک بر لب‌هایش چشم را می‌زد. گیسوی شبگون رها بر شانه‌ها صورت زن را قاب می‌گرفت و لباس‌های بلند تنش را. اگر چالاکی رفتار و سرزندگی حرکاتش نبود می‌شد فراموش کرد موجودی واقعی است. تند راه می‌رفت و با صدای بلند می‌خندید. خنده‌ای ریز و پرطنین که یکباره اوج می‌گرفت و زود خاموش می‌شد.

وقت بدرقه مهمان‌ها، طنین خنده زن در سکوت شب، از ورای صداهای بم مردانه، به اهل کوچه یادآوری می‌کرد که زن در حلقه مردها است؛ مردهایی که رفت و آمدشان به خانه تمامی نداشت، حال آنکه شوهری هم در کار بود: مردی سفیدرو با موهای روشن، صورت گشاده و قدی متوسط، نه چاق و نه لاغر. همیشه کت و شلوار مرتبی به تن داشت. در و همسایه می‌دانستند که مهندس الکترونیک است. سر ساعت به سر کار می‌رفت و برمی‌گشت. حضور آرام مرد و نظم رفتارش نامعمول بودن زن را بیشتر به رخ می‌کشید و به شایعات دامن می‌زد.

قصه‌های جور واجوری سر زبان‌ها بود. گاه زن تنها دختر خانواده‌ای

متمول می‌نمود که به سبب ثروتش بر شوهر فرمان می‌راند و گاه زنی صرعی و نیمه دیوانه که مرد به دلیل عشق بر خل‌بازی‌هایش چشم می‌بست. شایعاتی دیگر، زن را بدکاره‌ای قلمداد می‌کرد که عشاق ثروتمند زندگی پرخرجش را تامین می‌کنند. این نقل‌ها همان‌قدر برای ساکنان کوچه جذابیت داشت که سریال‌های "پیتون پلیس" و"روزهای زندگی".

حوادث این سریال‌ها جزو زندگی محله بودند. در خانه دکتر سلیم هم، وقت پخش این سریال‌ها، مادر و گیتا و بی‌بی پای تلویزیون می‌نشستند. پدر اما اتاق را ترک می‌کرد. از وقتی که شاه تشکیل حزب واحد رستاخیز را اعلام کرده بود، دکتر سلیم دیگر از تماشای برنامه اخبار هم خودداری می‌کرد. پیشنهاد کرده بود تلویزیون را بفروشند یا به دوست و آشنایی ببخشند، اما سرانجام در مقابل امتناع سرسختانه مادر کوتاه آمده بود. حالا هر بار تلویزین روشن می‌شد صدای غر و لندش به هوا می‌رفت. از سریال پیتون پلیس و "روزهای زندگی" که قهرمانهایش دایم درگیر ماجراهای عشقی تازه‌ای بودند، با لفظ «روزهای جندگی» یاد می‌کرد. بی‌بی خانم لب می‌گزید و با لبخندی تائیدآمیز استغفراللهی می‌گفت، ولی هنگام پخش سریال از جلو تلویزیون تکان نمی‌خورد. با اشتیاق ماجراها را دنبال می‌کرد و مثل باقی اهل کوچه بر شکست‌های عشقی قهرمان‌ها دل می‌سوزاند و از وصل‌شان شادمان می‌شد.

زندگی زن همسایه هم به اندازه این سریال‌ها برای اهل محل کنجکاوی برانگیز بود، اما بیشتر بدگمانی برمی‌انگیخت تا همدلی. زن جوان سیاه چشم و سیاه مو، برای اهل کوچه، از قهرمان‌های مو بور و چشم آبی سریال‌ها که در سرزمینی دیگر می‌زیستند، دورتر و غریبه‌تر بود. قهرمان‌های سریال‌ها را به نام می‌شناختند. هر هفته به زندگی آن‌ها وارد می‌شدند و در آشنایی و جدایی و قهر و آشتی‌هاشان شرکت می‌کردند. از زندگی زن همسایه اما چیزی نمی‌دانستند و همین او را در چشم‌هاشان به موجودی مرموز و نیمه دیوانه بدل کرده بود.

عاقبت یک روز، نوشته‌ای کوتاه به این احساسات بیش و کم بدخواهانه پایان داد. آن روز تابستانی سال ۱۳۵۵، گیتا به مغازه روزنامه‌فروشی محل رفته بود که در ازای مبلغی ناچیز کتاب هم قرض می‌داد. روزنامه‌فروش، هیجان‌زده، عکس زن را که در یکی از روزنامه‌های بزرگ عصر چاپ شده بود به مشتری‌ها که اکثراً اهالی کوچه بودند نشان می‌داد. گیتا با آنکه اهل روزنامه خواندن نبود، نسخه‌ای خرید و به خانه شتافت.

خبر جنجالی صفحه اول موضوع متلاشی شدن ستاد مرکزی چریک‌های کمونیست و کشته شدن رهبر گروه و نه نفر از یاران او بود. گیتا به سرعت روزنامه را ورق زد تا به مصاحبه زن همسایه رسید که به مناسبت چاپ اولین رمان انجام شده بود. او می‌گفت نوشتن برایش آئینی مقدس است و نوشتار همچون معبد. روزنامه‌نگار خوش‌طبعی کرده بود که نام نویسنده، الهه سرمدی، بسیار با مسما است. گیتا مطلب را قیچی کرد و در یکی از صفحه‌های دفترچه‌ای چسباند که بریده مجله‌ها و قطعه‌های ادبی مورد علاقه‌اش را در آن گرد می‌آورد.

در پایان روز، پدر و خواهر هم هرکدام با یک نسخه روزنامه به خانه آمدند. سر میز شام، هما از هیجانی گفت که خبر کشته شدن چریک‌ها در دانشکده برانگیخته بود. بی‌بی حرف سبزی‌فروش محل را نقل کرد که "چریک‌ها خدانشناس هستند". پدر غر زد که مردک ساواکی است و با لحنی ملایم به خواهر تشر زد که راه این جوان‌ها به ترکستان است و فقط سر خودشان را به باد می‌دهند. مادر وسط حرف دوید تا از عکس و مصاحبه زن همسایه بگوید. پدر و خواهر هردو به تندی در آمدند که حوصله خواندن مزخرفات این زن اطواری را ندارند که مثل هنرپیشه‌های هالیوود هفت قلم آرایش می‌کند. مادر با خونسردی جواب داد که او هم از ادا و اطفار زن همسایه خیلی خوشش نمی‌آید ولی فکر می‌کند خانم باید آراسته باشد و خیلی هم خوب نیست مثل هما دائم یک شلوار جین به پا کند و یک پیراهن

مردانهٔ گل و گشاد بپوشد و خودش را دستی دستی از ریخت و قیافه بیندازد. هما با عصبانیت جواب داد که باید پودر و ماتیک را تحریم کرد تا آدم‌ها به جای قر و فر به فکر بدبختی‌های جامعه باشند. و پیش از اینکه در را بهم بکوبد و به اتاقش برود، داد زد که وقتی نویسنده‌های مملکت مثل زن همسایه مبتذل باشند باید هم مبارزها را بکشند و آب از آب تکان نخورد.

بی‌بی سکوتی را که برقرار شده بود شکست. گفت هما بس که درس می‌خواند وقت غذا خوردن هم ندارد و روز به روز لاغرتر می‌شود. گیتا همان‌طور که به حرف‌های مادر درباره نگرانیش از تغییر رفتار هما گوش می‌داد به گره ابروهای پدر نگاه می‌کرد که روزنامه را باز کرده بود و مصاحبه الهه سرمدی را می‌خواند.

فردای آنروز همه اهل کوچه خبردار شده بودند زن همسایه قصه‌نویس است. این آگاهی انگار به وضعیت مشکوک زن یکباره معنایی روشن داد. پچ‌پچ‌ها، نجواها و نیش و کنایه‌ها به آهی طولانی و آسوده بدل شد که خانه‌ها را در نوردید و در کوچه طنین افکند: پس این‌طور!

گیتا یکباره دریافت که به چشم اطرافیان، قصه نوشتن کار آدم‌هایی است که از واقعیت به عالم هپروت می‌گریزند؛ که شاعرها و قصه‌نویس‌ها نزد مردم از همان لطف و اغماضی برخوردارند که کودکان و دیوانه‌های بی‌آزار. گویی پس از کشف اینکه زن قصه‌نویس است، سرخی تند ماتیک او در چشم اهل کوچه رنگ باخت و خنده‌های مستانه‌اش به آهنگی دلنواز بدل شد که از دوردست‌ها می‌آمد. حصاری از رویا به ناگاه خانه همسایه را در برگرفت.

حال دیگرهمان‌طور که با خواندن داستانی پر ماجرا سکون زندگی روزمره طعمی مطبوع می‌یابد، حضور زن به زندگی کوچه لطفی دیگر می‌بخشید. در طول شب، نوای موسیقی طنین‌انداز از پنجره‌های خانهٔ زن سیاهپوش، همچون لالایی ملایمی در خواب‌های ساکنان کوچه جاری می‌شد.

گیتا که برابر پنجره اتاقش با چشم‌های باز خواب می‌دید، بـه خـود می‌گفت رویاهـایش کوچـه را تسـخیر کـرده‌انـد. رویاهـایی کـه در آن زندگی جشنی بود که تلخـی و شـیرینی ماجراهـا هرگـز از شـکوهش نمی‌کاست؛ و گیتا دم به دم به صورتی تازه در این رویاها ظاهر می‌شد، صورتی برساخته از میـل‌هـایی کـه در دلـش مـی‌جوشـید و از شـعر و قصه‌هایی که می‌خواند و دوباره می‌خواند بار می‌گرفت.

۵

بعد از فرستادن پیغام برای صفحه "گذشته بازیافته"، گیتا شب‌ها با هیجانی بیشتر مقابل کامپیوتر می‌نشست و هر بار صدای سرزنش‌بار هلن در گوشش می‌پیچید: "و ما اسیر تصویر!"

در ذهنش به هلن پاسخ می‌داد که برعکس، آشنایی با اینترنت مدد کرده بود چشم بر واقعیت بگشاید. برای تضمین آیندهٔ شغلی، سراغ تحصیل در رشتهٔ کامپیوتر رفته بود. اما خیلی زود عاشق کامپیوتر شده بود. ورود این جعبه جادویی به خانه سبب شده بود دریابد وجود شوهر نه تنها به زندگیش هیچ نمی‌افزاید، بلکه چون گواهی بر گذشته تلخ، که می‌خواست به فراموشی بسپارد، آزارش می‌دهد. گرچه هیچگاه با مرد از گذشته سخن نمی‌گفتند. شوهر که با شراکت پسر عمویش سخت سرگرم رتق و فتق مغازه فرش‌فروشی بود، وقت معاشرت با همکارهای گیتا را نداشت. گیتا هم درس و امتحان و بعدتر، فعالیت‌های شغلی را بهانه کرده بود تا با خانواده پسرعمو و دوستان شوهر رفت و آمد نکند.

مرد همانطور که به آشنایی با معاشران گیتا رغبتی نشان نمی‌داد، از نقشه‌های گیتا برای تحصیل و کار مطابق هم دل خوشی نداشت، اما مخالفت سرسختانه‌ای هم نمی‌کرد. پس از آنکه دانست تصمیم گیتا قطعی است دیگر حرفی در این باره به میان نیاورد. در هر حال اهل گپ و گفت و گو نبود. وقت شام، جلو تلویزیون جمله‌هایی درباره وقایع روزانه با گیتا رد و بدل می‌کرد.

گاه به‌گاه اما در رختخواب مرد به سخن در می‌آمد. نجواکنان از خواهش‌هایی می‌گفت که زن در او برمی‌انگیخت. شبی گیتا به

پچپچه‌های او گوش سپرد و از خلال حرف‌هایش تصویر بدنی دیگر را بازشناخت. و بار دیگر باز چنین بود. عاقبت دریافت شوهر هربار با زنی دیگر عشق می‌ورزد. گاه زنی موبور با پستان‌هایی کوچک، گاه زنی تیره‌پوست با کفل‌هایی درشت و بار دیگر زنی سرخ مو و میان باریک.

کم‌کم عادت کرد وقت عشق‌ورزی حواسش را بر حرف‌های مرد متمرکز کند و همراه نجواها حرکت انگشت‌ها و لب‌های داغ او را پی بگیرد. در این حال آرام آرام دگردیسی پستان‌ها و بازوها و ران‌های خود را حس می‌کرد که منبسط و منقبض می‌شدند تا به گونهٔ آن جسم زنانه‌ای درآیند که مرد با او درمی‌آمیخت. آن‌گاه لرزه‌های لذت در عضلاتش می‌دوید، موج‌وار می‌پیچید، پخش می‌شد، به گوش‌هایش می‌ریخت و صدای مرد را خاموش می‌کرد.

وقتی لرزه فرو می‌نشست گیتا جسم خود و همه حواسش را بازمی‌یافت. لمحه‌ای بعد اما نشانی از آن دگردیسی در خود نمی‌یافت. وقتی به آن لحظات می‌اندیشید، در ذهنش تصویر دری مجسم می‌شد که به آنی گشوده و پشت آن ناپدید شده بود تا دوباره بازگردد. نمی‌توانست آنچه را پشت در گذشته بود در ذهنش بازسازی کند. مثل سفری بود درهیچ کجا. در بی زمانی.

زمان مشخص و دقیق را در محل کار بازمی‌یافت، زمانی قابل محاسبه که سوی هدفی جاری بود. ریتم گفت و گوهای دوستانه را هم انگار حساب و کتابی تنظیم می‌کرد. ساعت نه صبح، طنین سلام‌ها، با خنده‌های کوتاه و آهی از سر نشاط یا خستگی و حرف‌هایی درباره آب و هوا در راهرو طنین می‌انداخت، و لحظاتی بعد خاموشی می‌گرفت تا صدای ماشین تحریر و زنگ تلفن جای آن را بگیرد. ساعت یازده، همراه بوی قهوه، حرف و خنده دوباره در فضا پخش می‌شد. جمله‌ها همان‌قدر کوتاه و بلند بودند که وقت مقرر به پایان برسند بی‌آنکه احساس شود گفت‌وگو دچار وقفه شده است. و آهنگ کار بار دیگر جاری می‌شد، تا به وقت نهار که فرونشیند و دوباره از سر بگیرد، تا پایان روز که صدای قدم‌ها با خداحافظی‌ها درهم می‌آمیخت.

بعد از آن، سکوت حاکم بر اداره را تنها تک‌سرفه کارمندان باقی‌مانده و یا زنگ تلفنی ناهنگام می‌شکست.

گیتا دوست داشت این ساعت‌ها در اداره باشد. کتاب می‌خواند یا خیال می‌بافت. فکر رفتن به خانه و بازیافتن مرد ملولش می‌کرد. شوهر نیز از وقت کمی که باهم می‌گذراندند گله‌ای نداشت. مسافرت‌های شغلی بیش از پیش از خانه دورش می‌کرد. مرد با رضایتی فزاینده از این سفرها استقبال می‌کرد. رابطهٔ جسمانی زن و شوهر کم و کم‌تر شده و به هیچ رسیده بود.

مرد معشوقه‌ای داشت. روزی که گیتا از این واقعیت باخبر شد، نه حیرت کرد و نه خار حسادتی در قلبش خلید. حتی احساس سرخوردگی هم نمی‌کرد. طلاق برای او و نیز برای شوهر یک‌جور خلاصی مطلوب به نظر می‌رسید. گیتا آپارتمان را نگهداشت و دکوراسیون آن را عوض کرد. تک‌تک اسباب و اثاثیه را به دقت و به سلیقهٔ خود انتخاب کرد. زندگیش به روال معمول ادامه داشت. جز اینکه دیگر بعد از پایان ساعات اداری در شرکت نمی‌ماند و راه آپارتمان کوچک و آرام خود را در پیش می‌گرفت.

بعد از شام، با فنجانی چای در دست، پنجره اینترنت را می‌گشود تا گردش آغاز کند. کم‌کم میل و جرئتش را پیدا کرد که سراغ وب‌سایت‌های کمیاب فارسی زبان برود که تازه در فضای مجازی پیدایشان شده بود. و حالا، در انتظار پاسخ پیغامی که فرستاده بود با انتظاری شیرین به خانه می‌شتافت.

دو هفته بعد از فرستادن پیغام، مردی که خود را سینا رازی معرفی می‌کرد به گیتا جواب داد. نوشته بود گرچه در کوچه صبا زندگی نمی‌کرده اما روزهای زیادی را در خانهٔ الهه سرمدی، نویسنده‌ای از ساکنان کوچه، به سر آورده است. رمانی در دست داشت که الهه شخصیت اصلی آن بود و می‌خواست هرچه بیشتر درباره کوچه‌ای که زن در آن زندگی می‌کرد بداند.

سال‌ها بود گیتا جز کارت‌های تبریکی که هر عید برای پدر و

مادرش می‌فرستاد نامه‌ای ننوشته بود. گمان می‌کرد نوشتن نامه برایش سخت باشد، اما به محض شروع، آن را دلپذیر یافت.

۶

از مرسده به سینا ـ ۱۰ اکتبر ۱۹۹۷

آیا آن سال‌ها شما را در کوچه صبا دیده‌ام؟ همهٔ هوش و حواسم به خانم نویسنده بود که از او می‌گویید. خانه‌اش برای من مثل قصری بود پر از ماجراهای هیجان‌انگیز و آدم‌هایی که به آنجا رفت و آمد می‌کردند به نظرم خیلی مهم می‌رسیدند. سال‌هاست خبری از خانم سرمدی ندارم. آیا هنوز در ایران زندگی می‌کند؟ نوشته‌اید شما هم نویسنده هستید. اسمی که برای خود انتخاب کرده‌اید جالب است، سینا رازی. آیا ترکیبی از ابوعلی سینا و زکریای رازی است؟ آن وقت‌ها خیلی رمان می‌خواندم. بیشتر ترجمه داستان‌های نویسنده‌های خارجی. سال‌هاست رمان فارسی نخوانده‌ام و متاسفانه با نوشته‌های شما آشنایی ندارم. آن وقت‌ها از الهه سرمدی یک داستان بلند خواندم. خود او از دور مثل قهرمان یک رمان بود. نمی‌دانم از نزدیک همین‌طور بود یا نه. از من می‌خواهید درباره کوچه و اهالی آن بنویسم. حالا که به کوچه صبا فکر می‌کنم بیشتر خانم نویسنده و خانه‌اش به ذهنم می‌آید، اما اگر بگویید دنبال چه اطلاعاتی درباره اهالی کوچه هستید شاید بتوانم چیزهایی برایتان بنویسم.

از سینا به مرسده ۱۱ اکتبر ۱۹۹۷

سینا رازی نام مستعار من نیست. گویا جد پدری‌ام عاشق دانشمندها و اهل فضل بوده و به همین دلیل نام فامیل رازی را بر خود گذاشته. اسم سینا را اما پدرم که ارادت به اهل دانش را از پدرش به ارث برده بود برای من انتخاب کرده. همیشه از اسم مستعار پرهیز

کرده‌ام. چون در کشور ما گزینش نام مستعار اغلب برای فرار از خطرات بیان احساس و اندیشه بوده. البته این را استبداد اجبار کرده ولی به گمان من، برای نویسنده، مخفی شدن پشت یک اسم دیگر نوعی قبول سانسور هم هست. آیا خودسانسوری از همین جاها آغاز نمی‌شود؟

اما من فقط برای آنکه مجبور به پذیرش سانسور نشوم از مملکتم زده‌ام بیرون و به تبعید آمده‌ام. نوشته‌اید داستان‌های مرا نخوانده‌اید. بی‌هیچ تعارف می‌گویم چیزی از دست نداده‌اید. کارهای قدیمم دیگر برای خودم هم جالب نیستند. در این سال‌ها تنها یک رمان نوشته‌ام که در پانصد نسخه چاپ شده و نایاب است. البته خواننده‌های ما در اینجا اگر کمتر از این تعداد نباشند بیشتر هم نیستند.

سه سال است در حال نوشتن رمانی هستم که الهه شخصیت اصلی آن است. راست می‌گویید! رفتار او به شخصیت یک رمان شبیه بود. بهتر است بگویم می‌کوشید چنین باشد. همیشه ماسکی بر چهره داشت. ولی من می‌خواهم چهره واقعی‌اش را ترسیم کنم.

از خود می‌پرسم آیا چنین چهره‌ای وجود دارد و اگر وجود داشته باشد آیا من که آنقدر به او نزدیک بودم دیده‌امش؟ برای پاسخ به این سؤال‌هاست که می‌خواهم بنویسم. سال‌هاست از او دورم اما احساس می‌کنم هنوز فاصله‌ام با او کافی نیست. نگاه دیگری کمک می‌کند آنچه و آنکه را که می‌نگریم بهتر ببینیم.

اگر خسته‌تان نمی‌کند از نگاه خودتان و ساکنان کوچه به الهه برایم بنویسید.

از مرسده به سینا– ۱۵ اکتبر ۱۹۹۷

زندگی در خانهٔ الهه سرمدی کیلومترها با نحوهٔ زندگی همسایه‌ها فاصله داشت. برای اهل کوچه پنجشنبه شب‌ها، شب مهمانی و سینما رفتن بود، اما در خانه او بیشتر شب‌ها جشن بود. خانم‌های همسایه لباس و آرایشش را مسخره می‌کردند. اما او به چشم من خیلی زیبا

بود. پنجره اتاق من درست روبه‌روی مهمان‌خانه‌اش بود. خیلی شب‌ها در تاریکی دم پنجره می‌نشستم و از پردهٔ نیمه باز دید می‌زدم. یک شب الهه سرمدی آمد جلوی پنجره و چند لحظه آنجا ایستاد. سیگار دستش بود، اما نمی‌کشید. پشت سرش صدای موسیقی بود و هیاهوی مهمان‌ها، اما صورت او آرامش غریبی داشت. فقط چشم‌هایش عجیب برق می‌زد، مثل برق گوشواره‌ها و گردنبندش روی لباس سیاه میان پرده‌های مخمل سبز. این صحنه مثل یک تابلوی نقاشی فوق‌العاده که بارها تماشایش کرده باشم در ذهنم ثبت شده. زیبایی او به چشم من جادویی بود، اما برای اهالی کوچه همه چیز او غیرعادی به نظر می‌رسید. رفت و آمدهای خانه‌اش را نمی‌پسندیدند. البته باید بگویم که هیچ یک از آنها به خانهٔ او دعوت نشده بود و او هم به خانهٔ همسایه‌ای پا نگذاشته بود. هیچ‌وقت او را در کوچه و مغازه‌های محل ندیدم.

از سینا به مرسده ـ ۱۸ اکتبر ۱۹۹۷

درست می‌گویید. الهه در خانه‌اش طوری زندگی می‌کرد انگار در قلعه‌ای ساکن است. روزهای زیادی در این خانه گذرانده‌ام ولی همسایه‌ها را اصلاً نمی‌شناختم. فقط یکبار پزشکی را دیدم که گویا نزدیکی خانه الهه منزل داشت، دکتر سلیم، مردی لاغراندام با قد متوسط و سری نیمه طاس. نیمه شبی که الهه دچار انقباض‌های عضلانی شدیدی شده بود و دکترش در دسترس نبود شوهر الهه ناچار به او روی آورد که آمد و معجونی آرامش‌بخش به الهه تزریق کرد. برخورد با دکتر سلیم، نه به خاطر ماجرای بهم ریختن اعصاب الهه که فراوان پیش می‌آمد بلکه به دلیلی دیگر در خاطرم مانده. در اتاق الهه تابلو نقاشی بزرگی بود. پیرمردی خمیده را از پشت سر نشان می‌داد که با شولایی بلند و سیاه بر تن و عصا در دست روی جاده مه‌آلودی می‌رود، تمثیلی از تنهایی دکتر مصدق. دکتر سلیم بعد از پایان عیادت مقابل تابلو ایستاد، به احترام سری فرود آورد و اتاق را ترک کرد.

چندسال بعد اسم دکتر را بار دیگر از دهـان یکـی از دوسـتان الهـه شنیدم. صدای ملایم این جوان محجوب که پیشانی بلندش وقت شـعر خواندن سرخ می‌شد هنوز در گوشم هسـت. بـا نوشـتن نقـدی دربـاره اولین رمان الهه پایش به مهمانی‌های او باز شده بود. دورهٔ انقلاب دیگر ندیدمش تا دو سال بعد در خانه تازهٔ الهـه. تحـت تعقیـب بـود و آواره. الهه که تازه بچـه‌اش را بـه دنیـا آورده بـود بـه جـوان پنـاه داده بـود. شوهرش با این کار موافق نبود. خود الهه هم اهل سیاست نبـود، ولـی وقتـی بـه سـرش مـی‌زد کـاری انجـام دهـد هـیچ چیـز و هـیچکس نمی‌توانست مانعش شود.

شبی مرد جوان که گویا با دختر دکتر سلیم در یکـی از گـروه‌هـای کمونیستی همراه بود سرگذشت تلخ او را برایم گفت. پاسدارها دختر و شوهرش را در خانه مخفی‌شان به دام انداخته بودند و مـاجرا بـا مـرگ آن‌ها تمام شده بود. بعدها خود این جـوان هـم شـکار شـد. پاسـدارها ردش را زده بودند. به خانه الهه ریختند و همه اهل خانـه را بـه زنـدان بردند. الهه یک سال و چنـدماه در حـبس بـود ولـی شـوهرش را رهـا کردند و او از بچه نگهداری می‌کرد. نمی‌دانم به سر آن جوان چه آمد.

همان وقت‌ها من از ایران خارج شدم و از آن پس خیلی کم از الهـه خبر دارم. در این سال‌ها دو یا سه بار تلفن زده. تازگی رمانی بـه چـاپ داده که نخوانده‌ام. قصد ندارم پیش از پایان رمانی که دارم مـی‌نویسـم بخوانمش. نمی‌خواهم شخصیت قهرمان داستانم، الهـه آن سـال‌هـا، در ذهنم بهم بریزد.

اگر حوصله‌اش را دارید هرچه از او به یاد می‌آورید برایم بنویسید. با همه جزئیات و بی‌هیچ واهمه از پرحرفی.

۷

همپای گفت‌وگویی که در نامه‌ها جریان داشت گذشته در ذهن گیتا مرور می‌شد. همچنان با نام مرسده برای سینا می‌نوشت و هر آنچه را به هویتش مربوط می‌شد از گفته‌ها حذف می‌کرد. نگفت دکتر سلیم پدرش است و قهرمان ماجرای تلخی که دانشجوی جوان برای سینا نقل کرده هما خواهر بزرگترش بوده است. از آن‌ها که حرف می‌زد خود را پشت پنجره‌ای به تماشای رویدادهای خانه دکتر سلیم در نظر می‌آورد.

این چنین، زندگی خود را به سوم شخص روایت می‌کرد، انگار ماجرای زندگی همسایه‌هایی باشد که در گذشته‌های دور با آن‌ها آشنایی داشته.

گاه اما تصویری زنده و چابک از گوشه و کنار خاطره سر بر می‌آورد و مرزهای گذشته و حال، سوم شخص و اول شخص را درهم می‌ریخت.

۸

خواهر در آستانه در کلاه دستباف را از سر بر می‌دارد و گیسوان بلوطی‌اش بر شانه‌ها رها می‌شوند. گونه‌هایش از آفتاب کوهستانی رنگ گرفته و چشم‌های عسلیش برق می‌زنند. با اشاره دست دوستانش را به داخل دعوت می‌کند. کوله‌پشتی‌ها را گوشه راهرو می‌گذارند، پوتین‌ها از پا درمی‌آورند و اوورکت‌های گل و گشاد زیتونی‌رنگ را به جارختی می‌آویزند. همه یک هوا کوچک‌تر می‌شوند و خطوط صورت‌ها هم انگار قاطعیت‌شان را از دست می‌دهند. حرکات دست و پاهای ولو روی مبل‌ها نشاط رقصی را دارد که موسیقی شاد حرف‌های پراکنده همراهی‌اش می‌کند.

"گیتا! می‌آیی کمک؟"

همراه هما به آشپزخانه می‌روم و با سینی‌های نوشابه و ساندویچ‌های کالباس به سالن برمی‌گردیم. سینی‌ها را دور می‌گردانیم. آخرین ساندویچ و کوکا را خودم را برمی‌دارم و روی مبلی کنار در می‌نشینم. هما کنار پسری با پیشانی بلند و صدای مخملی جا می‌گیرد. همه را به سکوت دعوت می‌کند تا حرف‌های پسر را گوش کنند. از رمان الهه سرمدی می‌گوید: داستان زوجی که در یک شهرستان دورافتاده زندگی می‌کنند. مرد به خاطر شغلی عالیرتبه، عشقش به تئاتر را رها کرده. زن نیز از تحصیلش در دانشگاه صرف نظر کرده و باهم زندگی آرامی را می‌گذرانند. تا اینکه نفر سومی از راه می‌رسد، یکی از دوستان قدیمی مرد که عاشق شعر و زندگی کولی‌وار است. حضور او زوج را با ملال عمیق زندگی‌شان رودرو می‌کند. عشقی که میان او و زن شکل می‌گیرد در رابطهٔ زوج شکاف می‌اندازد. اما

دست آخر، مرد دوباره ناپدید می‌شود و همه چیز به روال سابق برمی‌گردد. زندگی زن و شوهر آهنگ تکراری‌اش را از سر می‌گیرد.

پسر بر پیشانی بلندش چین می‌اندازد و گلو صاف می‌کند: "خوشم آمد، هم طنز داره و هم رگه‌هایی از فکر انتقادی!"

پسر عینکی لاغراندامی که با لاقیدی توی مبل فرو رفته و پاهای بلندش را دراز کرده با لحنی شتابزده می‌گوید: "انتقاد از چی؟"

هما می‌گوید: "اگه ادا و اطوار نویسنده رو ببینی انتقادش رو زیاد جدی نمی‌گیری! رمانش هم از اون انشاهای روشنفکرانه‌س که می‌خواد با دم زدن از ملال ژست آوانگارد بگیره!"

صدا مخملی می‌گوید: "به نظر من این رمان دقیقاً همین تیپ روشنفکرهارو به نمایش می‌ذاره ..."

پسر پادراز وسط حرف می‌دود و با حرارت می‌گوید: "قضیه همینه دیگه! روشنفکری آوانگارد یعنی اعلام شکست!" و با لحنی پیروزمندانه نتیجه می‌گیرد: "مگه نه اینه که آخر قصه زن و شوهر به زندگی سابقشون برمی‌گردن؟!"

دختر ریزهٔ سبزه‌رویی که کنار پسر صدامخملی نشسته با هیجان می‌گوید: "خوب! شکست یه واقعیته! مگه پدرهای ما شکست نخوردن؟ مگه بعد از ۲۸ مرداد توده‌ای‌ها و ملی‌ها پی کار و زندگی خودشون نرفتن؟ مگه نرفتن دنبال شغل و مقام و عرق و تریاک؟"

دختر پشتش را صاف می‌کند و با گونه‌های گل انداخته می‌خواند:

"*پدر می‌گوید: از من گذشته است/ از من گذشته است/ من بار خود را بردم/ و کار خود را کردم.*"

من این شعر فروغ را حفظم. ازخانه‌ای می‌گوید که باغچه‌اش دارد آرام آرام خشک می‌شود و رو به نابودی می‌رود. در همان حال مادر شب و روز دعا می‌خواند و پدر شاهنامه را دوره می‌کند؛ خواهر بزرگ در خانه مرفه‌اش بچه می‌زاید؛ برادر، که روشنفکر است، برای فراموش کردن ناامیدی‌اش آوارهٔ میخانه‌هاست. و همسایه‌ها در باغچه‌هاشان به جای گل خمپاره می‌کارند.

پسر صدامخملی با دختر همصدا می‌شود. "من، از زمانی که قلب خود را گم کرده است، می‌ترسم."

پسری چهارشانه و فربه، نیم‌خیز روی صندلی، با صدایی پرطنین می‌گوید: "بعد از چه‌گوارا نشستن و این شعرها رو گفتن فقط یه تسلیم ناامیدانه‌س و بس!"

دختری رنگ‌پریده با موهای سیاه پرکلاغی و دماغ سربالا دنبال حرف را می‌گیرد: "کاملاً درسته! فروغ حرفش چیه؟! می‌بینه خونه آماده انفجاره! چی می‌گه؟ باغچه بیماره! باید بردش بیمارستان!"

خواهر پک عمیقی به سیگارش می‌زند: "این یعنی نفی انقلاب!"

پسر پا دراز داد می‌زند: "ترس از انفجار!"

۹

دوسال بعد، در تابستان ۵۷، انفجار غیر منتظره رخ داد و همه چنان به استقبال آن رفتند که گویی در انتظارش بوده‌اند. روزهای کوچه از روال معمول خارج شده بود.در خانه‌ها رادیوها شب و روز روشن بود. موج رادیوهای خارجی و داخلی با هم تلاقی می‌کرد و پیکر کوچه را از ارتعاشی دائمی می‌لرزاند.

این هیجان با فضای سرد و سنگینی که بر خانهٔ دکتر سلیم حاکم شده بود خوانایی نداشت. سالی پیش از انفجار، وقتی گیتا پا به هجده سالگی می‌گذاشت، نوای موسیقی در خانه روبه‌رو خاموشی گرفته و بوی قهوه از کوچه رخت بربسته بود. به نظر می‌رسید خانم نویسنده به سفری طولانی رفته است. اندک زمانی بعد، بی‌بی هم از خانواده جدا شده و به ساری بازگشته بود. پسرش بچه‌دار شده بود و می‌خواست نزدیک نوه‌اش زندگی کند.

ماهی پس از رفتن بی‌بی، هما هم ناپدید شده بود. کوتاه زمانی بعد، از یک کابین تلفنی زنگ زده و خبر داده بود به مبارزه زیرزمینی چریک‌های کمونیست پیوسته است. پدر، به مادر که مدام گریه می‌کرد تشر زده بود که به جای عزا گرفتن سرش را بالا نگهدارد و به گیتا سپرده بود از این ماجرا با هیچکس سخن نگوید.

به اطرافیان گفتند خواهر برای تحصیل به اروپا رفته است. حالا مادر به دقت روزنامه‌ها را می‌خواند و جمعه‌شب‌ها دیروقت، همراه پدر به برنامه رادیویی مخالفان حکومت که از خارج کشور پخش می‌شد گوش می‌کرد. به خواست دکتر سلیم رفت و آمد با همسایه‌ها و مهمانی‌ها هم کاستی گرفته بود.

زیر سنگینی نگاه‌های مراقب و نگران پدر و مادر، گیتا هر روز

بیشتر بهم ریختگی زلزله‌وار زندگیش را احساس می‌کرد. هجده سالگی و پایان دبیرستان را چون رویدادی شاد به خود نوید داده بود. از شاگردان رتبه اول بود و مطمئن از ورود به رشته مورد علاقه‌اش، معماری. با اشتیاق منتظر آغاز زندگی تازه‌اش بود، اما بسته شدن پنجرهٔ خانه همسایه، گویی علامت رویدادهای ناخوشایند بعدی بود. سال موعود چنان از راه رسیده بود که انگار دستی نامرئی گیتا را از خوابی شیرین بیرون کشیده و به فضای کابوسی سمج پرتاب کرده بود.

بدون رفت و آمدهای همیشگی و بحث‌های داغ دور میز شام، سکوت خانه بس سنگین می‌نمود. گیتا گیج‌سرانه دور خودش می‌چرخید و نمی‌توانست حواسش را بر درس متمرکز کند. امتحان‌ها را با نتایج متوسط گذراند و در کنکور نمره لازم را برای رشته معماری نیاورد. پدر و مادر که سخت دلمشغول ناپدیدی خواهر بودند این شکست را با خونسردی نامعمولی پذیرا شدند.

گیتا در رشته مدیریت پذیرفته شد و با بی میلی کلاس‌ها را شروع کرد. گاه با همکلاسی‌ها به کافه و سینما یا به خانهٔ هم می‌رفتند. در این رفت و آمدها با برادر یکی از دوستانش آشنا شد. مرد ده سال از گیتا بزرگتر بود و در بانکی به عنوان مشاور کار می‌کرد. کم حرف می‌زد. قاطعیتی که در راه رفتن و حرکت دست‌هایش به چشم می‌خورد به گیتا احساس استحکام و استواری می‌داد. خطوط متوازن صورت و قامت چهارشانهٔ مرد صلابتی آرامش‌بخش داشت. به نظر می‌رسید هیچ چیز نگرانش نمی‌کند، به هیجانش نمی‌آورد و خشمش را برنمی‌انگیزد. در چشم گیتا همچون جزیره‌ای در دریای طوفانی می‌نمود که آغوش برکشتی شکستگان می‌گشاید تا پناهشان دهد.

وقتی مرد به گیتا پیشنهاد ازدواج کرد، او بی‌درنگ پاسخ مثبت داد. به خانواده معرفی‌اش کرد با روی خوش پدر و مادر روبه‌رو شد. پدر با آنکه ازدواج را پیش از رسیدن به بیست و پنج سالگی نابخردانه می‌پنداشت با تصمیم دختر که پا به نوزده سالگی گذاشته بود موافقت

کرد و مادر از آن شادمان شد. گیتا می‌دانست دلیل اصلی این مساعدت نگرانی از اوضاع است. حوادث بیرون از خانه روز به روز تغییرات غیر منتظره‌ای به دنبال داشت.

اعتراض‌های ضد رژیم شروع شده و یکباره بالا گرفته بود. دکتر سلیم، با وجود مخالفتش با شاه، از محبوبیت روزافزون خمینی و شعارهای مذهبی دل خوشی نداشت. لحن مساعد گفتارهای رادیویی مخالفان نسبت به آیت‌الله تندرو خشمگین‌اش می‌کرد. پیچ رادیو را می‌چرخاند و صدای گوینده را خاموش می‌کرد. در سالن پذیرایی خالی از مهمان قدم می‌زد و انگار بخواهد برای جمعیتی سخنرانی کند بانگ برمی‌آورد که جوان‌ها تاریخ مملکت را نمی‌خوانند، شیخ فضل‌الله نوری و آیت‌الله کاشانی را نمی‌شناسند و از مکر و حیلهٔ ملاها بی‌خبرند. سر تکان می‌داد که پیرترها هم یا مثل حزب توده وطن‌فروشند و یا مثل ملی‌گراها نادان و بی‌عرضه. به شاه تسخر می‌زد که در اوج جنون عظمت‌طلبی، جشن‌های سیصدمیلیون دلاری برپا کرده بود، در تخت جمشید قول پاسداری از تمدن ایران را داده بود، و حالا فکری جز واگذاشتن تاج و تخت و فرار از مملکت در سر نداشت. امیران و رؤسای دولت‌های دنیا را به باد انتقاد می‌گرفت که کیفور از مزه خاویار و شامپانی، جام‌ها را به افتخار شاهنشاه تاجگزار بالا می‌بردند؛ و حالا به او پشت کرده و با آیت‌الله فرانسه‌نشین لاس می‌زدند. به مادر و گیتا که تنها شنونده‌های نطق‌های آتشینش بودند هشدار می‌داد که اگر وضع به این ترتیب پیش برود روزهای سیاهی در انتظار مملکت است.

گیتا اما، در گره ابروان خمینی نشانی از سرسختی در برابر شاه می‌دید و در مقایسه با رفتار محتاطانه پدر در ملاء عام، حرف‌های آیت‌الله را نشانه شجاعت و آزادگی او تلقی می‌کرد. با تظاهرات خیابانی همگام شد، ولی هربار، در بازگشت به خانه، مادر را چنان مضطرب می‌یافت که تصمیم گرفت از همراهی با امواج خروشان اعتراض‌ها که پیش چشمانش می‌گسترد خودداری کند. فضای خانه پیش از پیش سنگین بود و افق‌های آینده ناروشن. در چنین اوضاعی، ازدواج گیتا با

مردی که سن و سال و رفتارش از پختگی حکایت داشت رویدادی مساعد می‌نمود. از آنجا که خانه بزرگ بود و اتاق‌ها خالی، زوج جوان به پیشنهاد پدر و مادر همان‌جا مستقر شدند.

چهارماه بعد گیتا حامله شد. شب زفاف، بر ملحفه سپید هیچ ردی از خون نیافته بود. و شک پنهانی که درباره زنانگی‌اش داشت بالا گرفته بود. بی‌میلی‌اش به هماغوشی با شوهر به این حس غریب دامن می‌زد. برای زدودن این شک، که مثل خوره به جانش افتاده بود، آبستن شد. پدر با گفتن اینکه خیلی زود است، ناخشنودیش را ابراز کرد، اما بیش از آن پیگیر نشد. مادر به این کفایت کرد که توجه زوج را به ناروشنی خطرناک وضع مملکت جلب کند. ماجراها مثل صحنه‌های فیلمی که تند بچرخد از هم سبقت می‌گرفتند و صداها مثل نواری که دورش تند شده باشد قاطی می‌شدند. رویدادها با آهنگی تند و بی‌وقفه هرروز طرحی نو می‌ریخت و نقشی دیگر می‌زد.

حواس گیتا همانقدر معطوف حوادث بیرون بود که مجذوب آنچه در تنش می‌گذشت. شکمش را نوازش می‌کرد و هرچه می‌توانست غذا می‌خورد تا به بزرگتر شدنش کمک کند. مملکت مثل تن نازک او، که آبستنی بندبندش را می‌گشود و بر آن ترک می‌انداخت، از هجوم روزمره رویدادها پوست می‌ترکاند. نبض تهران، مثل نبض گیتا، که تپش کوبندهٔ آن را گاه همه جای تنش می‌شنید، تند و تب‌آلود می‌زد. شکمش روز به روز بالاتر می‌آمد و ته ماندهٔ تردیدهایش را محو می‌کرد.

حالا خود را زنی کامل می‌یافت، با پستان‌های متورم و لب‌های بادکرده که به صورتش حالتی خواب‌آلود می‌داد. زیر پوست شیار شده شکمش، زندگی پنهانی جریان داشت که حرکت‌های ناگهانی جنین از آن خبر می‌داد. بیرون از تن او اما هر آنچه زیرزمینی بود داشت آشکار می‌شد. درهای خانه‌ها باز شده و سیل جمعیت بیرون ریخته بود. تکان می‌خورد، نفس می‌کشید و فریاد می‌زد، روزها در خیابان و شب‌ها روی بام خانه‌ها، با الله‌اکبر شعار سر می‌داد. از بامی به بام دیگر راه باز بود.

یک روز عصر، وقتی جمعیت پادگان‌ها را یکی پس از دیگری تسخیر می‌کرد، هما هم به خانه آمد.

۱۰

نیسان جلوی خانه ترمز می‌زند. از پنجره می‌بینم کـه در ماشـین را تند باز می‌کند و به بیرون جست می‌زند. سر بند سـیاهی بـه پیشـانی بسته و موهای بلند بلوطی را بر شانه‌هـا رهـا کـرده. شـلوار و اوورکـت سربازی گشادی به تن دارد و پوتین‌های کوهنـوردی بـه پـا. در طـرف راننده باز می‌شود و دانشجوی قدبلند بیرون می‌آید. بـه ماشـین تکیـه می‌دهد و سیگاری آتش می‌زند.

صدای قدم‌های شـتابانش را در پلـه‌هـا مـی‌شـنوم. مـی‌خـواهم بـه استقبالش بدوم، اما سر جایم میخکوب شده‌ام. ضعف شدیدی زانوهایم را سست کرده. دست به دیوار می‌گیرم و قد راست می‌کنم. صدای پا را روی پله‌ها می‌شنوم. لحظاتی بعد، هما مقابلم ایستاده.

"وای! تو حامله‌ای؟! ... تو این اوضاع؟!"

لب ور می‌چیند: "چی شد؟ چرا به این زودی؟"

لحنش مثل همیشه عجولانه و قاطع است. می‌گویم: "پیش آمد!"

شانه بالا می‌اندازد. دست‌هایش را از دو سو باز می‌کند و در آغوشـم می‌گیرد. شکمم تنش را لمس می‌کند. بوسـه‌ای شـتاب‌زده بـر گونـه‌ام می‌زند و فاصله می‌گیرد.

"کی ازدواج کردی؟"

بی آنکه منتظر جواب باشد اضافه می‌کند: "مامان کو؟ بابا کجاست؟ امروز که کسی سر کار نمی‌ره!"

تند طرف پنجره می‌رود و نگاهی به بیـرون مـی‌انـدازد: "از پادگـان عشرت‌آباد می‌آییم، کلی اسلحه مصادره کردیم!"

"مامان رفته خونه دوستش، پدر بیرونه. شوهرم هم.

حرفم را قطع می‌کند: "گیتا جون، باید برم!"

دوباره بغلم می‌کند. موهایش بوی خاک می‌دهد.

"برمی‌گردم! به مامان بابا بگو!"

در آستانهٔ در می‌ایستد و با لبخند به شکمم نگاه می‌کند: "برای دیدن بچه حتماً میام!"

از پنجره نگاهش می‌کنم. قدم برداشتن‌اش به پرواز پرنده می‌ماند.

با خود می‌گویم اسمش چه خوب برازندهٔ اوست: هما، پرنده اسطوره‌ای. و من، گیتا، جهان، دایره‌واری حجیم و سنگین، چسبیده به زمین.

هما در ماشین را باز می‌کند. با یک حرکت روی صندلی کناری راننده جا می‌گیرد و در را می‌بندد. سر از پنجره بیرون می‌آورد و به بالا، طرف من نگاه می‌کند.

سر بند سیاه درخشش موهای بلوطی‌اش را زیر آفتاب آخر زمستان افزون‌تر کرده. می‌خندد و سرش را عقب می‌کشد.

همراه با حرکت ماشین، بدنه فلزی سلاح را می‌بینم که چسبیده به دست هما از پنجره بیرون می‌آید. برق کلاشینکف تا وقتی ماشین در خم کوچه ناپدید می‌شود در چشمم امتداد دارد.

۱۱

بعد از رفتن شاه، هما هم زندگی مخفی را ترک کرد. گاه به گاه، با همسرش، به خانه دکتر سلیم می‌رفتند و با خانواده شام می‌خوردند. مضمون دائمی حرف‌هاشان این بود که نیروهای ارتجاعی دارند انقلاب را مصادره می‌کنند. شوهر گیتا و دکتر سلیم در پیش‌بینی رویدادهای ناگوار هم‌نظر بودند، اما همسرهما عقیده داشت که سرانجام، انقلابی‌های واقعی ارتجاع را به عقب خواهند راند چراکه همدستان خمینی هرگز نخواهند توانست دستگاه سرکوبی مانند ساواک برپا کنند. هما هم با او موافق بود. می‌گفت استعفای دولت موقت بازرگان نشان‌دهندهٔ ناتوانی حاکمان جدید است و گسترش جنبش‌های اعتراضی از تهران تا کردستان و ترکمن صحرا کار اینان را یکسره خواهد کرد.

بالا گرفتن هرروزهٔ این جنبش‌ها بر امیدواری هما می‌افزود و به وجدش می‌آورد. آخرین‌باری که برای شام نزد خانواده آمده بود چندبار به شوخی گفت که تولد نوزاد گیتا طلیعه پیروزی انقلاب خواهد بود. مادر از او پرسید آیا خودش نمی‌خواهد بچه‌دار شود؟ گیتا که نگاه سرزنش‌بار خواهر به شکم برآمده‌اش را فراموش نکرده بود منتظر واکنش منفی او بود. اما هما پاسخ مثبت داد و اضافه کرد که دوست دارد دو بچه داشته باشد.

شنیدن این حرف لبخندی رضایت‌آمیز بر لب مادر آورد، خاصه اینکه ازدواج دختر بزرگ همیشه برای او و دکتر سلیم محل تردید بود. پدر گمان می‌برد که این ازدواج بیش از آنکه واقعی باشد محملی برای فعالیت‌های سیاسی آن‌هاست. از آنجا که هما و شوهرش هیچگاه

اعضای خانواده را به خانه‌شان دعوت نمی‌کردند، و خود فقط زمانی به خانهٔ دکتر سلیم می‌آمدند که مهمانی غیر از آن‌ها حضور نداشت، این حدس و گمان قوت یافته بود. وقتی هما از برنامه‌اش برای بچه‌دار شدن حرف زد، خرسندی مادر نهایت نداشت. اما رویدادهای بعدی، این امیدها را نقش بر آب کرد.

دو هفته مانده به موعد زایمان، نیمه‌شبی دردی نا منتظر گیتا را از خواب بیدار کرد. تشک زیر تنش خیس شده بود. پدر به سرعت او را به بیمارستان رساند. حرکت بچه در شکم کند شده بود و پزشک تصمیم به جراحی گرفت. بچه با بند ناف پیچیده دور گردن، خفه به دنیا آمد. تبی شدید گیتا را به حال اغما برد.

در اوهام بی‌خویشی، گیتا خود را ته دریا می‌دید، لابه‌لای خزه‌ها و خرسنگ‌ها، در هاله‌ای از نور زرد و آبی. حیرت می‌کرد چرا شکم باد کرده‌اش به بالا نمی‌کشاندش. دست روی شکم گذاشت و دید که یکباره دارد خالی می‌شود و هرچه بیرون می‌آمد آب بود و آب. وقتی پس از سه روز، تب فرو نشست و از بی‌خویشی به در آمد، شوهر بالای سرش نشسته بود. چشم که باز کرد مرد خم شد و پیشانی‌اش را بوسید. لب‌هایش سرد و لزج بود. زن سرمای ته دریا را به خاطر آورد.

چند هفته پس از بازگشت به خانه، برآمدگی مختصر شکم برطرف شد و گیتا، وزن پیش از زایمانش را بازیافت. تنها نشانی که از آبستنی به‌جا مانده بود شیارهای پوست شکم بود و غصه‌ای به سرمای ته آب که لزج به تنش می‌چسبید. وقتی شوهر لب‌هاش را می‌بوسید، سرما تا مغز استخوان زن رسوخ می‌کرد. حیرت می‌کرد چرا سرمای تنش مرد را پس نمی‌زند. شوهر واکنشی نشان نمی‌داد. به نظر نمی‌رسید حواسش به این چیزها باشد. تغییرات پی‌در پی اوضاع برای کمتر کسی هوش و حواس به جا گذاشته بود.

پایتخت، گیج‌سر از هیجان‌های شبانه‌روزی، آرام نمی‌گرفت. حکومت تازه، مستقر شده بود ولی هیچکس میل به ترک خیابان نداشت. هرشب، سر میز شام، دکتر سلیم از بحث‌هایی می‌گفت که

سرچهار راه‌ها و گوشه و کنار کوی و بازار به راه افتاده بود و از حزب‌اللهی‌ها که کفن سفید بر تن، الله‌اکبرگویان به صف تظاهرات مخالفان هجوم می‌بردند. مادر به او طعنه می‌زد که بالاخره به صف انقلابیون پیوسته، اما خود نیز با دقت اخبار را دنبال می‌کرد و به بحث‌های میان دکتر سلیم و همسر گیتا گوش می‌سپرد. چرخش حوادث سخت نگرانش می‌کرد. حکومت کمر به سرکوب مخالفان بسته بود. هما دوباره مخفی شده بود و خانواده دکتر سلیم به زندگی بستهٔ سابق بازگشته بود.

زندگی کوچه هم رفته‌رفته با نظم جدید هماهنگ شده بود؛ نظمی که ضرب‌آهنگش با صدای اذان بلندگوی کمیته محل در وعده‌های نماز تنظیم می‌شد. جلوی کمیتهٔ محل، جوان‌هایی با ریش‌های نورسته مسلح به کلاشینکف پاس می‌دادند. دو سه نفرشان از جوان‌های کوچه بودند و باقی از محلات دیگر.

اواخر تابستان ۱۳۵۹، اندک زمانی پیش از شروع جنگ با عراق، یک روز کامیون بزرگی آمد و اسباب خانه روبه‌رو را بار زد و برد. از پنجرهٔ بدون پرده، سالن پذیرایی خالی از اثاثیه، به چشم گیتا همچون ویرانه‌ای باستانی می‌نمود. به نظرش رسید که میهمانی‌های شبانهٔ زن را در عکس‌های کتابی دیده که حوادث آن در جای دیگری می‌گذرد. همسایه‌ها می‌گفتند زن کشور را ترک کرده و برای همیشه به اروپا رفته است.

شوهر گیتا هم فکر مهاجرت در سرداشت. جنگ او را بیش از پیش به ثبات اوضاع مملکت بدبین کرده بود. یکی از پسرعموهایش در فرانسه در کار تجارت قالی بود. می‌توانست با او شرکتی راه بیاندازد. دانشگاه‌ها با انقلاب فرهنگی بسته شده بود و گیتا روزها را درخانه می‌گذراند. برنامهٔ مهاجرت میلی در او برنمی‌انگیخت. صلاح نمی‌دانست مادر را در آن خانهٔ خالی، با پدر که هر روز بی حوصله‌تر می‌شد، تنها بگذارد.

دکتر سلیم وقت آزادش را به کتاب خواندن و رادیو گوش کردن و

یا رسیدگی به باغچهٔ کوچک حیاط می‌گذراند. مادر که اقوامش در شهرستان بودند، غیر از دیدارهای هرازگاهی با دوست و آشنا سرگرمی دیگری نداشت. گیتا جز کمک به مادر برای انجام کارهای روزمره هیچ نمی‌کرد. پیش می‌آمد که ساعت‌ها در اتاقش، نشسته بر صندلی کنار پنجره، به خیالات پراکنده مشغول بماند.

شوهر با صبر و حوصله گیتا را به رفتن خارج تشویق می‌کرد، اما او روی مساعد نشان نمی‌داد. تا آنکه خبر کشته شدن هما رسید؛ و چندی بعد، اواسط تیرماه سال ۶۰ کودک سه ماهه‌ای را به خانواده سلیم تحویل دادند. هما و همسرش، هنگام هجوم ماموران به خانه مخفی‌شان، سیانور خورده بودند تا زنده به چنگ آن‌ها نیفتند. پدر که شاهنامه فردوسی را دوره می‌کرد، نام سام را بر نوزاد نهاد.

وجود سام به زندگی خانه رنگی دیگر داد. همان‌طور که در تابلوی نقاشی هر رنگ، رنگی دیگر را به جلوه درمی‌آورد، بوی خوش کودک، روشنایی لبخندش و بی‌تابی‌هایی که برای شیرخوردن از خود نشان می‌داد، خوف مرگ خواهر را در جان گیتا بیدار می‌کرد و اندوه تاریک عزای نوزاد از دست رفته‌اش را درون او می‌گستراند.

مرگ شبیخون زده بود؛ از نهان‌ترین زوایای تن گیتا، تا خانه‌ها و خیابان‌ها، همه جا را تسخیر کرده بود. در هر کوی و برزنی به یاد کشته‌های جنگ حجله برپا کرده بودند. بی‌بی که گاه برای احوالپرسی تلفن می‌زد، در غم جوانمرگ شدن پسر خواهرش در جبهه زاری می‌کرد. حکومت برای شکار مخالفان همه‌جا دام گسترده بود. روزنامه‌ها لیست تیرباران شده‌ها را چاپ می‌کردند. پدر با دقت اسم‌ها را می‌خواند، دوباره و سه‌باره مرور می‌کرد، و چون سر برمی‌داشت نگاهش خالی بود. گاه بالای سر بچه می‌نشست و دقایقی طولانی نگاهش می‌کرد.

گیتا جرئت نمی‌کرد به سام نزدیک شود. نمی‌توانست در آغوشش بگیرد. می‌ترسید سرمای لزج تنش به تن گرم بچه راه یابد. مادر رفته رفته امتناع دختر را دریافت. هیچ نمی‌گفت، اما گیتا در چشم‌های او

پرسش‌های بر زبان نیامده‌اش را می‌خواند. حالا می‌دید که با لحنی موافق از طرح شوهر برای رفتن به خارج حرف می‌زند. پدر در تائید مادر می‌گفت که گیتا باید به تحصیل ادامه دهد و زندگی تازه‌ای را در پیش بگیرد. تکرار می‌کرد که او باید زندگی را از سر بگیرد. و هر بار که واژهٔ زندگی را بر زبان می‌آورد چنان سر تکان می‌داد انگار می‌خواهد زیر این کلمه خط بکشد.

گیتا با حیرت دریافت که حس مرگ از وجودش سرریز می‌کند و در خانه می‌پراکند. فهمید زمهریر درونش آن‌قدر عمیق است که به دیگران هم سرایت می‌کند. گویی تنها شوهر از آن مصون مانده بود. هیچ چیز توازن حسی‌اش را به هم نمی‌زد و در نظم برنامهٔ روزانه‌اش خلل وارد نمی‌کرد. رفتارش به زن یادآوری می‌کرد که می‌شود به مرگ پشت کرد و به زندگی ادامه داد.

سرانجام گیتا پذیرفت که در آستانهٔ بیست و دو سالگی کشور و خانواده‌اش را ترک کند و با شوهر راهی سرزمینی دیگر شود.

۱۲

فرانسه برای آن دو، سرزمینی ناشناخته بود که افق‌های تازه‌ای را برابرشان می‌گشود، اما به چشم گیتا، این کشور، با آنکه هرگز بدان پا ننهاده بود، چندان بیگانه نمی‌نمود. در عصرهای دراز تابستان‌های نوجوانی، همراه قهرمان‌های رمان‌های ویکتور هوگو، الکساندر دوما و اونوره دو بالزاک، با این سرزمین آشنا شده بود.

آن سال‌ها، با اینکه خیلی از گیتا فاصله نداشتند، به دیده او بسی دور می‌نمودند. از یادآوری خاطرات آن دوره هیچ حس دلتنگی به او دست نمی‌داد. فکر ترک دیار و نزدیکان هم احساساتی در او بر نمی‌انگیخت. دلش، انگار زره‌ای بر آن پوشانده باشد، در برابر عواطف سخت مقاوم شده بود. تنها کابوس‌های شبانه جانش را به تلاطم می‌آورد و ترس‌ها و غم‌ها را در او بیدار می‌کرد. کمتر از گذشته می‌خوابید و نمی‌دانست با ساعات طولانی بیداریش چه کند. قادر به تمرکز نبود. ماشین‌وار کارهای روزمره را انجام می‌داد و هیچ توجهی به گذر ساعت‌ها و روزها نداشت. فقط وقتی تاریخ سفر مشخص شد، زمان و تقویم معنا یافت. در خانه، همهٔ حرف و سخن‌ها حول این سفر بود. دکتر سلیم هیچ فرصتی را از دست نمی‌داد که یادآوری کند این سفر زندگی دخترش را عوض خواهد کرد. مادر آه می‌کشید و دعا می‌کرد که چنین باشد.

در پاریس اما، ماه‌ها طول کشید تا گیتا به فکر ایجاد تغییر در زندگیش بیفتد. پسرعموی شوهر و زنش، که تنها معاشران زوج بودند، به گیتا توصیه می‌کردند آموختن زبان فرانسه را با جدیت شروع کند. شوهر معتقد بود که زن در مسیر زندگی روزمره و با تماشای تلویزیون،

زبان را به‌قدر کافی خواهد آموخت. در سر داشت که گیتا در کسب و کار دستیارش شود. زن توان پیش گرفتن هیچ نقشه‌ای را در خود نمی‌یافت. به توصیه‌ها گوش می‌کرد ولی روزهایش را به کار و خورد و خوراک خانه می‌گذراند و شب‌ها، شنوندهٔ گزارش‌های مفصل شوهر بود که از پیشرفت کارهایش تعریف می‌کرد.

گیتا فقط گاه گاه برای خرید از آپارتمان کوچکشان در محلهٔ سنت‌لازار خارج می‌شد. مترو می‌گرفت و به خیابان بزرگی می‌رفت که پر از مغازه بود. عاقبت یک روز، وارد کتابفروشی شد که در مسیر رفتن به نانوایی قرار داشت. دقایقی طولانی را به ورق زدن کتاب‌هایی گذراند که به زبانی نوشته شده بودند که از آن هیچ نمی‌دانست. به "چرم ساغری" بالزاک برخورد و گفت‌وگوهایش با هما خواهرش که این کتاب را خیلی دوست داشت در خاطرش زنده شد. نسخه‌ای خرید. در راه بازگشت، در مترو کتاب را ورق زد و روند داستان را در ذهن مرور کرد. فردای آن روز مترو گرفت. و نه در ایستگاه همیشگی، بل در مقصدی ناشناخته پیاده شد.

پس از آن، هر روز از خانه بیرون می‌آمد، به ایستگاه سنت‌لازار می‌رفت. سوار مترو می‌شد و بی هیچ مقصد خاصی در یکی از ایستگاه‌ها پیاده می‌شد و به گردش در خیابان‌های اطراف می‌پرداخت. پاریس خود را همچون موزه‌ای بزرگ بر او می‌گشود. بعد از ظهر به خانه بازمی‌گشت و غذای شب را تدارک می‌دید. شوهر شب‌ها زود می‌خوابید. گیتا کنار مرد دراز می‌کشید و منتظر خواب می‌ماند که خیلی سخت به سراغش می‌آمد. بی خوابی‌اش هرروز شدت بیشتری می‌گرفت.

روزی، وقت پرسه زدن در یک گالری، ردیف آینه‌های آویخته بر دیوار، تصویر چهرهٔ رنگ پریده و تکیده‌اش را مکرر به گیتا بازگرداندند. این منظره، توصیف بالزاک از رافائل، قهرمان داستان چرم ساغری را به خاطرش آورد. شکست خورده در عشق و باخته در قمار، مرد جوان که تصمیم گرفته بود به زندگیش خاتمه دهد در تالارهای عتیقه‌فروشی

اعجاب انگیزی می‌گشت. بالزاک حال رافائل را در آن لحظات به تابلوها و اشیای هنری که میان آنها پرسه می‌زد تشبیه کرده بود: نه مرده و نه زنده.

گیتا با خود گفت: "هیچ چیز دلم را به طپش نمی‌اندازد، حتی فکر خودکشی."

ناگاه خستگی مفرطی بر او چیره شد. از گالری بیرون آمد و به قصد بازگشت به خانه سوار مترو شد. صدای مامور قطار که بالای سرش ایستاده بود بیدارش کرد. تمام مسیر را خوابیده بود. قطار از مقصد او رد شده و به آخر خط رسیده بود.

پس از رسیدن به خانه طولی نکشید که به رختخواب رفت. عصر فردای آن روز، شوهر بیدارش کرد. در بازگشت از کار، زن را همچنان در خواب یافته و نگران شده بود. گیتا ساعت‌های طولانی خوابیده بود بی‌آنکه کابوسی خوابش را آشفته کند. هفته‌های بعد، ساعت‌های بیکاریش را، انگار در چاهی بی‌انتها فرو رفته باشد، در خوابی سنگین می‌گذراند.

عاقبت یک روز با نور آفتاب صبحگاه چشم از خواب گشود. و روز و روزهای پس از آن نیز. به زودی گردش‌های روزانه را از سر گرفت. گاه یا مردم را ، وقتی به حرکت آرام آب در رودخانهٔ سن چشم می‌دوخت نظاره می‌کرد که در کافه‌ها گپ می‌زدند و می‌خندیدند، حس شادی که طعمش را مدت‌ها پیش به فراموشی سپرده بود، به دلش باز می‌آمد.

این منظره‌ها برای گیتا بازتاب زیستنی آسوده بود که اضطراب حادثه‌ای نامنتظر گذر روز و ساعت‌هایش را برنمی‌آشفت. هنوز زبان فرانسه را نیاموخته بود و دنیای پیرامون پیش چشمش مثل فیلمی می‌گذشت که در آن گفت و گوها مثل موسیقی حرکات بازیگران صحنه را همراهی می کرد . و این همه، احساس هماهنگی را به ذهنش القا می‌کرد. حتی در شتاب پاریسی‌ها و پیشی گرفتن‌شان از هم برای سوار شدن در اتوبوس‌هایی که سر وقت

می‌رسیدند نظمی محسوس می‌دید. رفته رفته این میل در دلش پیدا شد که میان این آدم‌ها جایی برای خود بیابد.

بعدها هر وقت به سال‌های آغازین زندگیش در فرانسه فکر می‌کرد، به خود می‌گفت: "من راهی سوای رافائل در پیش گرفتم."

قهرمان بالزاک، در معامله با پیرمرد عتیقه‌فروش، طول عمرش را با برآورده شدن خواسته‌هایش تاخت زده بود؛ و از آن پس، زندگیش یکسره در تسخیر کابوس مرگ بود که با تحقق هر میل و آرزو یک قدم نزدیک‌تر می‌شد. اما استقرار در پاریس، که به دیدهٔ گیتا شهری وسوسه انگیز بود، او را یاری داده بود زندگی آسوده‌ای برای خود بسازد که هیچ سودایی آرامشش را خدشه‌دار نمی‌کرد.

عبور

۱۳

خیابان همان‌قدر شلوغ بود که یک روز وسط هفته. در پیاده‌روی وسیع و پردرخت، رستوران‌ها و فروشگاه‌های چینی دهان گشوده و عطر کاری و زنجبیل می‌پراکندند. زن‌ها ساک‌های خرید را دنبال خود می‌کشیدند و بچه‌ها را که این سو و آنسو می‌دویدند صدا می‌زدند. ماشین‌هایی که منتظر برگشتن سرنشینان به خرید رفته بودند راه را بند می‌آوردند و صدای بوق ماشین‌های دیگر را بلند می‌کردند. آخرین اشعه‌های خورشید پیش از غروب، به هیاهوی خیابان، سرخوشی یک روز تابستانی را می‌بخشید. این نشاط سبکسر به التهاب گیتا دامن می‌زد و بر سر در گمی‌اش می‌افزود.

بعد از رسیدن به کلیسا، به جای رفتن به سالن سخنرانی در زیرزمین، از پله‌ها بالا رفته بود، دستگیره در سنگین چوبی را چرخانده و خود را در صحن خلوت یافته بود، مجذوب سکوت و آرامشی که حکمفرما بود. ردیف صندلی‌های خالی، در پناه ستون‌های سفید افراشته تا سقف بلند، انتظاری با وقار را تداعی می‌کرد.

نشست، و تنش را به چوب محکم و خنک صندلی سپرد. تکیه داد تا سایه مطبوعی که به استقبالش آمده بود در برش بگیرد. چشم گرداند. دورتر، نزدیک محراب، زنی جلوی تابلویی ایستاده بود. هیکل کشیده‌اش، پوشیده در مانتوی بلند سفیدرنگ، به مجسمه می‌مانست؛ شاید هم نحوه ایستادنش، صاف و بی تکانی محسوس، به این گمان پا می‌داد.

گیتا برخاست و نزدیک رفت. انعکاس قدم‌هایش بر صحن سنگی کلیسا در تالار پیچید، اما زن سر برنگرداند. گیتا از کنار او گذشت و

روبه‌روی آخرین تابلو از نقاشی‌هایی که همردیف روی دیوار قرار گرفته بودند ایستاد. تابلوها، با خط‌های ساده و سرراست و رنگ‌های شاد و ملایم، مسیح را تصویر می‌کردند. حلقهٔ خار بر سرش مثل تاجی جواهرسان می‌درخشید و صلیب بر دوشش انگار بال‌هایش بود.

گیتا نگاهش را طرف زن گرداند که در دو سه قدمی او به تابلویی خیره شده بود. نیمرخ او به چشمش آشنا می‌آمد. زن روی گرداند. گیتا بلافاصله هلن را به جا آورد. زن هم او را فوراً شناخت.

"سلام دوست ایرانی من! چه اتفاق جالبی! چه نسیم خوشی شما را این طرف‌ها آورده؟"

"یک جلسهٔ ایرانی، توی سالن زیرزمین کلیسا."

هلن بر گونهٔ گیتا بوسه زد: "فوق‌العاده نیست؟ سال ۱۹۹۸، پاریس! محلهٔ چینی‌ها! کلیسای کاتولیک! جلسه ایرانی‌ها! و ملاقات، در خانه خدا، با آدم بی خدایی مثل من!"

"واقعاً هم! مجموعهٔ تضادها!"

"این یکی رو هم اضافه کنین: با خدا سخت دشمنم ولی عاشق مسیحم!"

هلن نگاهش را به اطراف چرخاند و افزود: "این کلیسا رو خیلی دوست دارم! به خاطرخلوتیش، و این تابلوها ... حس عجیبی توشون هست ..."

"ابتدایی‌ان، مثل نقاشی بچه‌ها، و در همون حال جادویی! به خصوص این یکی!"

مسیح با لباس سفید و بلند ته آب دراز کشیده و صلیب بر فراز پیکرش شناور بود. ذره‌های طلا و نقره میان حلقهٔ خار روی سرش برق می‌زدند. آبی آسمان نقش از ابرهای سفید داشت و کنار رودخانه درختی با شاخ و برگ‌های سبز و میوه‌های سرخ دیده می‌شد.

هلن گفت: "ته آب! با صلیب شناور بالای سرش و این صورت محو! نه رنج و نه شادی! فقط فراموشی!"

گیتا بی اختیار زن را برابر جسد پسر جوانش در وان پر آب مجسم

کرد.

هلن دست بر بازوی گیتا گذاشت: "کمی بنشینیم؟"

نشستند و انگار وعده ملاقات داشته باشند گفت‌وگویشان سرگرفت. هلن از کارش گفت. در آژانسی توریستی به عنوان راهنمای مسافران استخدام شده بود. مزدش کم بود، اما به لطف بلیط و مسافرت‌های مجانی می‌توانست دائم در سفر باشد، تنها کاری که به او آرامش می‌داد.

"یه جوری قانعم می‌کنه که مرگ هم یه جور سفره ... سفر به جایی ناشناخته، دور از همه کس و همه چیز، یه سفر طولانی بی‌بازگشت!"

"سفرهای طولانی شاید همه یه جورایی بی‌بازگشت باشن ... وقتی به جایی که ترک کرده‌ایم برمی‌گردیم اون‌قدرعوض شده که دیگه برامون غریبه‌ست."

"حرف خردمندانه‌ایه!.. خرد تبعیدی‌ها!"

هلن به ساعتش نگاه کرد و افزود. "جلسه‌تون؟ گمونم خیلی تاخیر دارین."

"خیلی وقته شروع شده، راستش بیشتر برای ملاقات با یه آشنای ناشناس اومدم ... چند ماهه باهاش نامه‌نگاری اینترنتی دارم."

"براوو! گذر از دنیای مجازی به واقعیت!"

"خیلی عجیبه! این ماجرا با ملاقات ما تو مهمونی شروع شد. و حالا پیش از اولین دیدار ... باز به هم برمی‌خوریم."

"شرط می‌بندم فکر دیدارش آرامشتون رو به هم زده."

"خیلی بیشتر از اونچه فکرش رو می‌کردم ..."

"وحشت از عاشق شدن؟"

"شاید!"

"معمولاً سرخوردگی آخر ماجرا، به اندازۀ هیجان اولشه! ولی به خطرش می‌ارزه!"

"واقعاً این‌طور فکر می‌کنین؟"

"باور کنین دوست من! عشق تا وقتی ملال‌آور نشده تنها داروی

مؤثر رفع ملاله!"

هلن چشمکی زد: "دلم نمی‌خواد این ملاقات جذاب رو بیشتر به تاخیر بندازم."

بازوی گیتا را گرفت و به سمت در ورودی رفتند.

پیش از خداحافظی شماره تلفن و آدرس‌های ایمیل را رد و بدل کردند. هلن یادآوری کرد که هنوزچندان میانه‌ای با اینترنت ندارد ولی دریافت پیغام از جانب گیتا خوشحالش خواهد کرد: "از پرحرفی با شما لذت می‌برم. موضوعی که خیلی کم برام اتفاق می‌افته."

گیتا جواب داد که حتماً برای او خواهد نوشت و افزود که حرف زدن از طریق اینترنت برایش راحت‌تر است.

از پله ها پایین آمدند و هیاهوی خیابان به طرفشان هجوم آورد. هلن بوسه‌ای بر گونه گیتا زد:"پیش به سوی ماجرا!"

۱۴

در میان کف زدن‌ها وارد سالن شد. روی یکی از صندلی‌های خالی نزدیک به تریبون نشست. گردانندهٔ جلسه آغاز گفت‌وگوی در پایان سخنرانی‌ها را اعلام کرد. گیتا سخنران‌ها را از نظر گذراند.

یک سال از نامه نگاریش با سینا می‌گذشت و با آنکه هردو در پاریس زندگی می‌کردند، حرفی از ملاقات به میان نیاورده بودند. حتی به گفت‌وگوی تلفنی هم اشاره‌ای نرفته بود، اما گیتا هر روز، در خیابان و اتوبوس یا مترو، بین رهگذرها دنبال سینا می‌گشت. ابتدای آشنایی، در نامه‌های مرد پی جزئیاتی برای تجسم خطوط صورت و قامتش گشته بود، اما به زودی دریافت که سینا با جملاتی کلی و کوتاه از خود حرف می‌زند، حال آنکه دیده‌ها و شنیده‌هایش را با توصیف ماهرانهٔ جزئیات روایت می‌کند.

از ورای کلمات مرد، اشیا ظاهر می‌شدند، آدم‌ها جان می‌گرفتند و رویدادها مثل صحنهٔ تئاتر پیش چشم مجسم می‌گشتند. گیتا می‌کوشید از خلال توصیفاتش، او را مثل بازیگری روی صحنه دنبال کند. نمی‌شد. انگار سینا همیشه در جایی بیرون از صحنه، جایی که همه صحنه از آنجا پیدا بود ایستاده است. گیتا او را عینکی، بلندقامت و لاغراندام در نظر می‌آورد. وقتی از شرکت سینا در این جلسه سخنرانی خبردار شد، بی آنکه به مرد حرفی بزند، عزم کرد برای دیدن او برود.

بلافاصله او را میان سه سخنران جلسه شناخت. برخلاف تصوری که در ذهن پرورانده بود، مرد نه لاغر اندام بود و نه عینکی بر چشم داشت. اما گیتا مطمئن بود که حدسش خطا نیست، به خاطر رفتار هشیار او، و به خاطر نگاهش، که بی آنکه آشکارا کنجکاوی نشان دهد

همهٔ اطراف را در بر می‌گرفت. زن این نگاه را وقتی وارد سالن شد و بر صندلی جا گرفت روی خود حس کرده بود و به همراه آن اشاره خفیف سر مرد را دیده بود، انگار گیتا را شناخته باشد.

آرامش سینا با موج هیجانی که حرف‌های اولین شرکت‌کننده بحث در فضا برمی‌انگیخت، تضادی آشکار داشت. مردی کوتاه قامت با موهایی دم اسبی از جا بلند شد و با صدایی بلند و پر طنین سخن گفت.

"دوستان! تبعید خودخواستهٔ هدایت و خودکشی‌اش در پاریس، سرنوشت محتوم ادبیات ما رو خلاصه می‌کنه. بوف کور که مهم‌ترین رمان ایرانیه در واقع ترجمان بن‌بست قصه‌نویس‌های ماست... بوف کور نتونسته از ایهام شاعرانه ببّره و رمان بشه."

مردی که در ردیف اول نشسته بود برخاست.

"همین‌طوره دقیقاً! سنت شاعرانهٔ ما رمان رو خفه کرده! اصلاً بوف‌کور خود ماییم که بین سنت و مدرنیته گیر کرده‌ایم و جز ناله شوم از حلقمون بیرون نمیاد. همین!"

یکی از سخنران‌ها که سمت راست سینا نشسته بود، مردی عینکی با صورت لاغر، پاسخ داد: "اتفاقاً تمام قدرت هدایت در بوف کور، به تصویر کشیدن همین واقعیت کابوس‌واره است."

گیتا گفت و گویش با خواهر بزرگ در باره بوف کور را به یاد آورد. هما می‌گفت دو هدایت وجود دارد: نویسندهٔ متعهدی که آثارش خواندنی است؛ و نویسندهٔ پوچ‌گرای بوف کور که نیهیلسم کارش را به خودکشی کشاند. گیتا در خفا بوف کور را خوانده بود و این کتاب تاثیری معذب‌کننده در او بر جا گذاشته بود.

سخنران دیگر، مردی با سری نیمه تاس، رشتهٔ سخن را در دست گرفت: "زوم کردن روی مدرنیته و سنت ما رو به هیچ جا نمی‌رسونه. هدایت یه شاهکار خلق کرد، اما در کشور ما، همون‌طوری که در صحبتم گفتم، استبداد هم نویسنده رو خفه می‌کنه و هم رمان رو. هدایت خودش رو کشت، بعضی‌ها رو کشته‌اند و می‌کشند و خیلی‌ها

هم خودسانسوری رو انتخاب می‌کنن.

مردی چهارشانه و فربه برخاست و صدا بلند کرد: "صدآفرین! البته نمی‌شه فراموش کرد که هدایت میان‌مایه نبود و این مورد میون نویسنده‌های ما خیلی کمه ... تقصیر ضعف نویسنده‌ها رو نباید به گردن شاعرهای بزرگمون بیندازیم ... این کار خیلی راحتیه. اما عذر می‌خوام، خریتی بیش نیست!"

از گوشه و کنار سالن صداهایی به اعتراض برخاست. رئیس جلسه نوبت را به یکی دیگر از حاضران داد. با برخاستن صدای زن زمزمه‌ها خاموشی گرفت: "هدایت قطعاً مدرن بود. اما در بوف کور زن‌ها کجا هستن؟ یک زن، با دو چهرهٔ وهمی، اثیری و لکاته. و چه سرنوشتی در انتظار این زنه؟ به قتل رسیدن و تکه تکه شدن. اما رمان مدرن بدون زن‌های واقعی امکان نداره. پس اولین کاری که باید انجام بدیم اینه که قطعه‌های شقه شدهٔ تن زن رو از چمدون راوی بوف کور در بیاریم و بهم بچسبونیم."

پچپچه‌های حاضران، سکوتی را که با حرف‌های زن برقرار شده بود شکست. مرد مو دم اسبی غرید: "این هم یه جور شعره! اونم در صیغه مبالغه!"

رئیس جلسه نگاهی به ساعتش انداخت و رشتهٔ کلام پایانی را به سخنران‌ها سپرد. گیتا، دستخوش اضطراب از نزدیک شدن لحظهٔ دیدار، برخاست و از سالن بیرون رفت. روی پله‌های کلیسا نشست به تماشای خیابان که رو به خلوتی می‌رفت. دقایقی بعد به حاضرانی پیوست که بیرون از سالن آخرین حرف‌ها را رد و بدل می‌کردند.

صبر کرد دور و بر سینا خلوت شود. وقتی نزدیک شد مرد نگاهش را به او دوخت و با لبخند گفت: "شما باید مرسده باشین!"

"بله! ولی اسم واقعی‌ام گیتاست!"

"محشره! کنت دو مونت کریستو به روایت زنونه!"

"ولی من نه گنجی دارم و نه در پی انتقامم!"

سینا که نگاه کنکاش‌گرش را لحظه‌ای از گیتا بر نمی‌داشت گفت:

"اصلا نمی‌شه مطمئن بود! اونهم با این اسم، گیتا، دنیا ... واقعیت مگه خیلی وقت‌ها افسانه رو پشت سر نمی‌گذاره؟"

۱۵

مرد به پهلو آرمیده و سرش را به آرنج دست چپ تکیه داده. انگشتان دست راستش نوازشگرانه از پیشانی به گونه و گردن زن گردش می‌کند. با فشاری سبک پستان‌ها را نوازش می‌دهد و به طرف شکم می‌رود. زن دست او را می‌گیرد و نگه می‌دارد. مرد خم می‌شود و نوک پستان زن را به دهان می‌گیرد. داغی لب‌هایش در پوست زن منتشر می‌شود. دستش را به آرامی از دست زن می‌کشد و روی ران‌های او به گردش در می‌آورد، از گره‌گاه زانوها به ساق‌ها و کف پا.

زن می‌چرخد تا انگشت‌های مرد از پا تا تهیگاه و پشت گردنش را بنوازند. چشم می‌بندد و همراه حرکت موزون دست مرد فرازهای تن خود را مجسم می‌کند. پستی و بلندی‌هایش را مثل دشت‌ها و تپه‌های سرزمینی غریبه درمی‌نوردد و نرمی و سختیش را لمس می‌کند. باز می‌چرخد تا مرد نوک پستان‌هایش را یکی بعد از دیگری در دهان بگیرد. دیگر جلوی پیشروی دست او را روی شکمش نمی‌گیرد. مرد لب‌های گرم و مرطوبش را با تأنی بر شیارهای شکم او می‌کشد. سر برمی‌دارد و در حالی که به ملایمت زن را به زیر می‌کشد لب‌هایش را به دهان می‌گیرد. زن ران می‌گشاید و مرد با آهنگی آرام در او می‌راند.

زن لمحه‌ای چشم باز می‌کند تا صورت مرد را ببیند. رگی برجسته روی پیشانیش نمودار شده. با چشم‌های بسته، ابروهای درهم کشیده و پره‌های لرزان بینی، به سواری می‌ماند که در دشتی پهناور به سوی افق دوردست می‌راند. زن پلک می‌بندد. سوار می‌راند و می‌راند تا آنجا که زمین و آسمان با هم درمی‌آمیزند و سوار و اسب در اوج رقصی موزون میان هالهٔ بنفشی می‌رانند که شعله‌وار سر برمی‌کشد تا آرام

آرام فرونشیند و به ذره‌های آبی تجزیه شود.

زن چشم باز می‌کند. بازی سایه‌ها روی دیوار روبه‌رو جنگلی ساخته، با درخت‌های سر کشیده به آسمان.

صدای مرد را کنار خود می‌شنود: "محشره! به کشف گنج رفتیم!"

گیتا که تمام حس‌هایش در گیر کشف تن خویش است، با شنیدن صدای سینا، یکباره از خود کنده می‌شود. ناگاه حضور مرد را چون غیری کنار خود حس می‌کند. و این‌همه با آنکه خود را چنان به سینا نزدیک حس می‌کرده که ثانیه‌ای شک نکرده با او به رختخواب برود.

۱۶

فردای ملاقات با سینا، گیتا برای هلن از دیدارش با سینا نوشت:
"از اینکه اولین ملاقات به عشق‌بازی منجر شد هنوز حیرت زده‌ام. اگر راستش را بگویم، این عشق‌بازی برایم، عمیقاً، یکجور وصل با خودم بود. معنایش این نیست که با او احساس امنیت می‌کنم؟"
به محض فرستادن پیغام، گیتا به درست بودن کارش شک کرد. از خود پرسید هلن چگونه درددل گفتن او را پذیرا خواهد شد. تا امروز فقط دوبار با هم ملاقات کرده بودند، اما پس از هر ملاقات، گیتا گفت‌وگو با زن را در ذهن ادامه داده بود. حالا، با فرستادن این پیغام، داشت رابطهٔ ذهنی را به واقعیت بدل می‌کرد. ولی اینگونه بی پروا سخن گفتن از زندگی خصوصی‌اش آیا سنجیده بود؟
پاسخ هلن خاطرش را آسوده کرد. زن نوشته بود خوب می‌فهمد که دور بودن رابطه‌شان به گیتا اجازه می‌دهد راحت تر با او راز دل بگوید.
"معمولاً ممکن نیست زندگی خصوصی دیگران توجهم را جلب کند. تنها زمانی برایم جذاب می‌شود که گفت و گویی صمیمانه اتفاق بیفتد. و هرچه این گفت و گو تجریدی‌تر باشد، تاثیرش روی من بیشتراست، مثل خواندن یک رمان خوب. با دنبال کردن شخصیت‌های رمان، می‌توانم بی‌آنکه غرق ملال شوم دنبال خودم بگردم. حرف‌های شما به فکرم می‌اندازد، کاری که عاشقش هستم، به خصوص وقتی موضوع بر سرعشق باشد و تناقض‌های ابدی‌اش. آیا امنیت وعشق با هم جور درمی‌آیند؟ یا این خرد ایرانی شماست که آن‌ها را بهم پیوند می‌دهد؟ یا این ما هستیم، که رو در رو با مرگ، به پل زدن میان عشق و امنیت نیاز داریم؟ اما با این کار آیا بیشتر به حفاظت از

خودمان در برابر خطر عشق نمی‌پردازیم؟ فکر کردن به این پرسش‌ها مرا به آنجا رساند که برای شما، نازنین دوست ایرانیم، بیش از امنیت، عشق آرزو کنم. چرا که شهد این یکی خیلی شیرین‌تر از میوه‌های بی‌مزهٔ آن یکی است."

۱۷

وقتی گیتا به رابطه‌اش با سینا فکر می‌کرد از خـود مـی‌پرسـید آیـا به‌راستی می‌شود نام عشق بر آن گذاشت؟ خاصه اینکـه مـرد همیشـه می‌گفت عشق و عاشقی را به کناری نهـاده اسـت. پـس از آشـنایی بـا گذشتهٔ مرد، گیتا معنای این حرف او را روشن‌تر درک می‌کرد.

سینا فرزند خانواده‌ای متمول و اهل علـم بـود. در رشـته ریاضـیات تحصیل کرده بود، اما به خاطرعشق بـه ادبیـات کـار تخصصـی را رهـا کرده و قدم به راه نویسندگی گذاشته بود. با الهه سرمدی که ده سـال از او بزرگتر بود، در مهمانی‌های شبانهٔ اهل ادب و هنر آشنا شـده بـود. به زودی این آشنایی به عشـقی سـودایی بـا بحـران‌هـای جنـون‌آمیـز گراییده بود. لطف آشکار و پنهان زن بـه عشـاقی کـه پروانـه‌وار دورش می‌گشتند، میان آن دو کشمکش‌های دیوانه‌واری برمی‌انگیخت که بـه ادوار جدایی و وصل می‌انجامید.

بالاخره سینا تصمیم گرفته بود آرامـش را در ازدواجـی بجویـد کـه خیلی زود به طلاق انجامیده بود. پس از آن، فراموشی را در خمار الکل و نشئه تریاک و آغوش زن‌های جور واجور یافته بـود. در آغـاز انقـلاب اما، هجوم جمعیت به خیابان‌هـا و شـعارهایی کـه در گوشـش طنـین نعره‌هایی ناآشنا و تهدیدکننده داشت، گویی برای همیشه مسـتی را از سرش پرانده بود. بعد از یک دوره انزوای پرهیزگارانه تصمیم بـه تـرک کشور گرفته بود تا به نوشتن بازگردد.

در فرانسه، با تکیه بـر ثـروت خـانوادگی، زنـدگی نسـبتاً آسـوده‌ای داشت. زبان فرانسه را خوب می‌دانست، اما فقط به فارسی مـی‌نوشـت. نوشتن را نقب زدن به نهان‌ترین لایه‌های وجود می‌دانست که جـز بـه

واسطهٔ زبان مادری ممکن نمی‌شود. رابطه‌اش با فرانسوی‌ها از راه خواندن کتاب و تماشای فیلم و تئاتر و شرکت در مجامع ادبی و هنری می‌گذشت. در معاشرت‌ها، گاه با زنی رابطه عاشقانه برقرار می‌کرد. اما در هیچ دل بستنی پای نفشرده بود. شور عشق را تنها در نوشتن می‌یافت.

گیتا تاثیر این حال را در زندگی سینا آشکارا می‌دید. حال که رابطه‌اش با او نزدیک‌تر شده بود به روشنی شاهد دگرگونی عواطف سینا در روند نوشتن رمانی بود که داشت به پایان می‌برد. مهرورزی مرد با گیتا، در عین شیرینی، از شور خالی بود. هنگام عشق‌بازی، چشم‌هایش بسته می‌ماند و کلامی بر زبان نمی‌راند. می‌گفت کلمات سبب سردی میل‌هایش می‌شوند. زن اما در سماجت پلک‌های بستهٔ مرد، در گره سخت ابروان و رگ برجسته روی پیشانی، و در ضرب‌آهنگ تند عضلات او بازتاب سوداهایی را می‌دید که گویی معشوقی ناپیدا بر می‌انگیخت.

با این فکر، چهرهٔ الهه در ذهن گیتا مجسم می‌شد.چشم می‌بست و همراه با انگشت‌های داغ سینا، از صورت زن به خم‌های تنش گذر می‌کرد که مثل راهی مارپیچ زیر نور ماه، از روشنایی محو به ظلمتی رازآلود فرایش می‌خواندند. غوطه‌ور در این سیاهی بی مرز، گیتا حس می‌کرد تنش در پیچشی ممتد به تن سینا، بند می‌گسلد و از چهارستون خود در می‌گذرد، از هم می‌پاشد و تجزیه می‌شود تا ذره‌ای از آن هستی بی زمان و مکان شود که از جنس مرگ بود. و این‌همه بی وحشت مرگ.

۱۸

تلفن که زنگ زد، در رختخواب بودند. آن محاورهٔ جادویی که هنگام عشق‌بازی در ذهن گیتا درمی‌گرفت پایان یافته بود و آرام آرام با سینا از اینجا و آنجا حرف می‌زدند. مرد گوشی را برداشت و به آنی چشم‌هایش برقی از تعجب زد و صدایش رنگ حیرت گرفت. نیم‌خیز شد و نشست.

گیتا از جا برخاست و به آشپزخانه رفت. وقتی با دو لیوان آب میوه به اتاق خواب برگشت صحبت تلفنی تمام شده بود و سینا همچنان روی تخت نشسته و گیج‌سرانه به دیوار روبه‌رو نگاه می‌کرد. همان‌طور که لیوان را از دست گیتا می‌گرفت گفت. "بفرما! علامت آخر زمان در آخر قرن! الهه داره میاد پاریس!"

"چه خبرخوبی!"

"تعجب نمی‌کنی؟!"

زن فکر کرد که دقایقی پیش الهه از پوست تنش به او نزدیک‌تر بوده. با سینا از رویابافی‌های نوجوانیش دربارهٔ زن حرف زده بود، اما از حس‌هایی که عشق‌بازی‌شان را به الهه پیوند می‌داد هیچ نگفته بود.

سینا دوباره گفت: "اصلاً تعجب نکردی!"

گیتا به جای پاسخ منتظر ماند سینا از الهه بگوید. زن خبر داده بود خرداد آینده به پاریس می‌آید. از سینا خواسته بود خانه‌ای با حداقل سه اتاق خواب به مدت هفت ماه برایش اجاره کند.

"تنها جایی نمی‌ره، هیچ‌وقت!"

"شوهرش همراهش می‌یاد؟"

"نه، یک دوست! اسم مستعار معشوق!"

سینا لیوان را روی میز کوچک کنار تخت گذاشت. از جا بلند شد و پیراهنش را به تن کرد.

گیتا پرسید: "نگفت چرا میاد؟"

"نه، ولی می‌تونم مجسم کنم که سر میز شام به شوهرش می‌گه: عزیزم سال دوهزار داره سر می‌رسه! دلم می‌خواد پایان قرن رو در پاریس جشن بگیرم."

"عجیب نیست؟ درست موقعی که داری خط‌های آخر رو می‌نویسی قهرمان رمانت سراغت می‌یاد. باید خیلی هیجان‌انگیز باشه!"

"صداش عجیب نزدیک بود. هفده سال گذشته، اما انگار همین دیروز!"

"من بیست ساله ندیدمش. گرچه بعضی وقت‌ها فکر می‌کنم الهه رو فقط توی خواب دیدم. خوابی که بالاخره داره تعبیر می‌شه!"

"راستی برای تو هم باید ملاقات جالبی باشه!"

حیرتی که در لحن سینا بود به گیتا یادآوری می‌کرد که در رابطۀ آن دو هیچ حضوری ندارد.

همراه این فکر جوشش اضطرابی مبهم را در دلش حس کرد. برای مهار اضطرابش که کاهش نمی‌یافت، به روال این ماه‌ها، برای هلن از حس‌هایش نوشت.

"دیدار نزدیک با الهه رویای همیشگیم بوده. اما حالا که دارد اتفاق می‌افتد، فکر روبه‌رو شدن با او سخت مضطربم می‌کند، مخصوصاً کنار سینا. خوب می‌دانم که سینا خودش خواسته الهه را ترک کند. می‌گوید مدت‌هاست دیگر عشقی به این زن ندارد. می‌گوید درست به این دلیل که او دیگر عشقش نیست می‌تواند موضوع رمانش باشد. دائم این حرف‌ها را با خودم تکرار می‌کنم، اما اضطرابم کمتر نمی‌شود."

پاسخ هلن، که برای سفر در لیسبون به سر می‌برد، لحنی شوخ داشت: "فکر نمی‌کنید که نوشتن این رمان بیش از هر چیز گواهی می‌دهد که سینای شما هنوز در دام این موجود وسوسه انگیزاست؟ اما به نظر می‌رسد که شما تنها کسی نیستید که مایلید این زن را فقط

در رویا ملاقات کنید. شاید سینا هم او را به قلمرو تخیل تبعید کـرده تا به آرامش دست یابد. پس امیدوار باشیم که آمدن او به هردوی شما کمک کند واقعیت رابطهٔ میان خودتـان را بهتـر ببینیـد. خوبسـت بـی هیج ترس و افسوس به استقبال این ماجرا بروید. به نظـرم ایـن کـلام پسوا، شاعر بزرگ لیسبون حق مطلب را می‌گوید:

تنها آنکه شراب زندگی را چشیده
به یک یا چند جرعه
اما تا آخرین قطره
خوب می‌داند (و بی هیچ حسرتی)
که راه کدام است.

۱۹

در زمانی که به آمدن الهه باقی مانده بود، رفتار سینا سبب شد گیتا نگرانی‌هایش را به کناری نهد. مرد با شتابی تبناک به نوشتن بخش پایانی رمانش مشغول بود. عشق‌بازی‌هاشان هم شوری فزاینده یافته بود. گویی نوید دیدار قریب‌الوقوع الهه، لحظه‌ها را آبستن میل و سودا می‌کرد. این حال، در ذهن گیتا، تصویر خدابانویی را برمی‌انگیخت که بر هرچه می‌دمید از شور زندگی بارورش می‌کرد و ملال مرگبار را می‌تاراند. و این خیال‌ها ملاقات با الهه را به رویدادی دلخواه بدل می‌کرد.

پس گیتا با اشتیاقی صمیمانه، به یاری سینا در یافتن خانه برای الهه پرداخت. با جستجوی بسیار آپارتمانی دلخواه او، با سقف‌های بلند و پنجره‌های فراوان در محله بیستم پاریس یافتند. پنجرهٔ سالن خانه به گورستان پرلاشز باز می‌شد. سینا به شوخی می‌گفت یافتن این آپارتمان نشانهٔ همدستی الهه با اشباح است. هفته‌ای پیش از آمدن او خانه را تحویل گرفتند و گیتا به آماده کردنش همت گماشت. از آنجا که آپارتمان مبله بود، تغییراتی در چیدن اسباب‌ها داد و وسایل کوچکی بر آن افزود که به خانه روح می‌دهند: گلدانی روی میز، سینی منقشی در آشپزخانه، شمعدانی روی بوفه و چند کوسن برای مبل‌ها، به رنگ‌های کهربایی و بنفش. رنگ‌های مورد علاقهٔ الهه که جابه‌جا در آخرین رمانش رخ می‌نمود.

گیتا این کتاب را در یکی از معدود کتابفروشی‌های ایرانی در پاریس یافته بود. زندگی زنی نویسنده را حکایت می‌کرد که از هر رویای شبانه‌اش قصه‌ای می‌نوشت. یک شب، به مردی که در خواب

دیده بود سخت دل باخت. پس از آن، مرد هر شب به خوابش می‌آمد و به زبانی نامفهوم با او سخن می‌گفت. زن کلمات ناشناسی را که از دهان مرد شنیده بود بر کاغذ می‌آورد. رفته رفته، اوراق نوشته شده کتابی شد که نه خود می‌توانست بخواند و نه هیچکس دیگر. عزم کرد از طریق نشانی‌های آمده در رویا به جست و جوی معشوق برود.

پس از سفری طولانی و پرماجرا، زن کلمات زبان غریبه را در آوازهای اهالی دهکده کوهستانی مهجوری یافت. بعد از کاوش در ویرانه‌ای که اهالی دهکده می‌گفتند زمانی معبد مذهبی ناشناس بوده، کتابی کهنه پیدا کرد که الفبای آن زبان غریب را به دست می‌داد. پس از آموختن آن، به خواندن نوشته‌ای پرداخت که با گرد آوردن کلمات معشوق رویاهایش نگاشته بود.

پس از آن، زن جز در گفتگو با مرد که همچنان به خواب‌های شبانه‌اش می‌آمد، دیگر کلامی بر زبان نمی‌راند. رفته رفته از روشنایی روز و دیدار مردم گریزان شد و عاقبت کارش به تیمارستان کشید.

فصل آخر رمان، شرح گفت و گویی بود میان زن و معشوق. مرد خبر می‌داد که دارد بار سفر می‌بندد. عزم کرده بود به جستجوی زنی برود که به خوابش آمده و او را سحر کرده بود؛ زنی با گیسوان سیاه رها بر شانه‌ها، چشم‌های آهوانه سیاه و پوستی به رنگ شیر. همان صورتی که گیتا از الهه در خاطر داشت.

۲۰

زیر قشر ضخیم کرم پودر، کدری پوست آشکار بود و بر تیرگی هاله قهوه‌ای دور چشم‌ها می‌افزود، اما چشم‌های آهوانه و گیسوان سیاه رها بر شانه همان بود که در خاطر گیتا نقش بسته بود.

چشم از الهه برداشت و به سینا نگاه کرد که ساک به دست جلوی در پا به پا می‌کرد. آن‌ها را به داخل دعوت کرد. الهه به محض ورود خود را روی کاناپه رها کرد، سرش را به پشتی تکیه داد و چشم‌ها را بست.

هنگام آماده کردن قهوه در آشپزخانه، سینا ماجرای سرگردانی چند ساعته‌شان را نقل کرد. از فرودگاه به خانه رفته بودند و زن به محض دیدن باغ پرلاشز از پنجره گفته بود نمی‌تواند آنجا تاب آورد. دوست همراهش آنجا مانده و سینا الهه را به خانهٔ خودش برده بود، اما دقایقی بعد زن گفته بود آنجا هم احساس خفگی می‌کند. سرانجام آمده بودند سراغ گیتا.

سینا گفت: "امیدوارم امشب اینجا تاب بیاره. تا فردا پی راه حلی بگردیم."

"بالاخره گفت چرا آمده؟"

"برای تفریح نیست متاسفانه! برای شیمی درمانی بعد از جراحی، سرطان پستان!"

شنیدن این خبر گیتا را سخت غافلگیر کرد. بی هیچ حرف سینی قهوه را برداشت و با سینا به سالن برگشت. فنجانی قهوه روی میز برابر زن گذاشت که همان‌طور روی کاناپه با چشم‌های بسته لمیده بود.

"اوه! بوی خوب قهوه! بوی خونه!"

الهه چشم گشود و نگاهش را در سالن کوچک گرداند. کنار در ورودی، جا لباسی چوبی بود، با آینه قدی و ساعت دیواری قدیمی بالای آن. کمی دورتر، میز گرد سیاه رنگی با شش صندلی دیده می‌شد و کتابخانه‌ای در زاویه دیوار. اطراف کاناپه را دو راحتی کوچک سیاه‌رنگ گرفته بودند. دورتر یک تلویزیون بود و در میانه یک میز پایه کوتاه ژاپنی که گلدانی پر از گل‌های زرد و بنفش روی آن قرار داشت.

نگاه الهه بر گل‌ها نشست: "عاشق این رنگ‌هام!"

گیتا که همان روز این گل‌ها را خریده بود اندیشید که ناخودآگاه منتظر آمدن زن بوده است.

الهه بانگ بر آورد: "بالاخره خودم رو تو یه خونۀ واقعی حس می‌کنم که با سلیقه زنونه مبله شده!"

نگاهش را به گیتا دوخت: "چه پوست با طرواتی دارین!"

گیتا برای پنهان کردن دستپاچگی‌اش شروع به حرف زدن کرد: "پس اون خونه رو نپسندیدین؟ آپارتمان قشنگیه! سینا می‌گفت شما سقف بلند و پنجره‌های زیاد رو دوست دارین."

"آره! ولی نه پنجره‌هایی که به گورستون باز می‌شن! چه منظره‌ای! یک علامت شوم! چه اضطرابی! وحشتناک بود!"

بی آنکه در کلامش تصنعی باشد، حرف‌ها را با اطواری تئاتری بیان می‌کرد: "اسمش هم نحسه! سرطان! پیش از اون مرگ برام یه چهره ژانوسی داشت! یه ور تاریک و یه ور روشن! اما حالا فقط یه صورت داره: دیوآسا! ظلمانی!"

"خوشبختانه روش‌های درمانی خیلی پیشرفت کرده."

"دکتر معالجم هرکاری لازم بوده کرده. اینجا هم با یکی از بهترین پروفسورها قرار دارم، اما گیرم مرگ رو عقب برونی ... با ویرانه‌هایی که توی روحت باقی می‌گذاره چه می‌کنی؟"

سینا گفت: "این ویرانه‌ها، مریض بشی یا نه، وجود دارن، و تو این رو خوب می‌دونی عزیزم."

گیتا پی حرف را گرفت: "و زندگی بهمون یاد می‌ده چطور دوباره

بسازیمشون!"
الهه که فنجان قهوه را برمی‌داشت صدا بلند کرد: "زندگی! آخ که چقدر بهش نیاز دارم!"
جرعه‌ای نوشید: "می‌شه گردشی تو خونه بکنم؟"
گیتا گفت: "بهتره بگیم یه آپارتمان کوچک!"
الهه کتش را کند و به گیتا داد. گیتا آن را در جالباسی کنار در ورودی آویزان کرد و به سوی الهه که ایستاده بود بازگشت. با وجود کفش پاشنه بلند، قامت زن که در آن سال‌ها به چشمش بلند می‌نمود، متوسط بود و بی آنکه چاق باشد به باریکی آن سال‌ها نبود.
الهه نزدیک آمد و بازوش را پیش آورد. گیتا بازویش را گرفت و الهه به او تکیه داد. عطرش بوی صندل و دارچین می‌داد. از سالن وارد راهرو باریک شدند که یک سویش اتاق خواب بود و حمام و توالت و سوی دیگرش آشپزخانه‌ای کوچک و اتاقی دیگر که پنجره آن به حیاطی مشترک باز می‌شد. زن از پنجره به بیرون نگاه کرد.
"اوه!حیاط! دوچرخه بچه!"
"شما بچه دارین؟"
"یه دختر! آبستنی وحشتناک بود! حس می‌کردم دارم استحاله می‌شم ... به یه گاو!"
وارد اتاق خواب شدند. الهه پرسید: "تنها زندگی می‌کنین؟"
با شنیدن پاسخ مثبت گیتا بازوی او را فشرد: "چه قدرتی! من از تنهایی وحشت دارم!"
" حتی وقت نوشتن؟"
"نمی‌نویسم! دیکته می‌کنم!"
الهه توضیح داد که شهرام، مرد هنرمندی که او را همراهی می‌کند، از سه سال پیش این کار را به عهده دارد و نتیجه گرفت: "جای دوتا منشی‌ام رو پر کرده." و بعد از مکثی کوتاه افزود: "خیلی از جاهای خالی رو پر کرده."
وقتی به سالن بازگشتند، الهه گفت که حالش خیلی بهتر شده و

احساس گرسنگی می‌کند. از سینا خواست به شهرام زنگ بزند و آدرس بدهد تا تاکسی بگیرد و به آن‌ها ملحق شود.

ساعتی بعد وقتی میز شام آماده شده بود، شهرام از راه رسید. سی ساله می‌نمود، بلندقامت و لاغراندام. موهای بلوطی‌اش بر شانه‌ها ریخته و لباسی برازنده به تن داشت.

با تماشای ظرف سالاد و بشقاب ژامبون و بطری شراب روی میز، بانگ زد: "می‌شه این منظره رو نقاشی کرد و اسم تابلو رو گذاشت شام آزادی!"

"اوف! فوری باید اعلام کنه نقاشه! و دو دقیقه بعد همه‌تون خبردار می‌شین که از دانشکده هنرهای زیبای پاریس دیپلم گرفته!"

شهرام بوسه‌ای برای الهه فرستاد: "با دیدن تو ذوق‌هام صد برابر می‌شه!"

سینا گفت: "از قرار تو ایران هم ژامبون به وفور یافت می‌شه هم شراب و هم باقی قضایا!"

"ولی نه که جلو چشم همه سلانه سلانه بری تو مغازه و با بطری شراب و ژامبون بیای بیرون. مسئلهٔ آزادی درست همینه ..."

الهه دوید وسط حرف: "سخنرانی موقوف! دعوت نشدی سر همه رو ببری!"

شهرام سر فرود آورد و با لبخند به گیتا گفت: "ببخشین که ناخونده مزاحم شدیم!"

۲۱

بعد از بازدید چند خانه الهه اعلام کرد فقط در خانه گیتا اضطرابش کاهش می‌یابد. و گیتا بی هیچ تردید پذیرفت الهه و شهرام در خانه‌اش اقامت کنند. اتاق خوابش را در اختیار آن‌ها گذاشت و به اتاق دیگر نقل مکان کرد.

در نامه‌ای به هلن نوشت: "برای خودم هم عجیب است که از آرامش و نظم زندگی تنها، که این‌همه برایم مهم است، این‌قدر راحت صرف نظرکرده‌ام!"

هلن که مدام در سفر بود در جواب اشاره کرد که دوری‌هایش از خانه بازگشت به خانواده را به دیده‌اش دلپذیر کرده است.

گیتا هم به زودی زندگی تازه‌اش را خوشایند یافت. وقتی در پایان روز کاری به خانه برمی‌گشت، عطر زیره و زعفران، پیچیده در راه پله‌ها، به مشامش بس خوش می‌نشست. شهرام که آشپزی ماهر بود به همه خوراک‌ها زیره و زعفران می‌زد که چاشنی مورد پسند الهه بود و همه تمهیدات از خواهش و تمنا تا سرزنش و نصیحت را به کار می‌گرفت که زن چند قاشقی به دهان بگذارد.

گاه پیش از خواب، به تماشای فیلم‌های قدیمی که الهه دوست داشت می‌نشستند. زن روی کاناپه خوابش می‌برد. هر از گاهی چشم می‌گشود، صحنه‌ای را که بر صفحه تلویزیون می‌گذشت نگاه می‌کرد و دوباره به خواب می‌رفت. در این حال اگر گیتا را کنار خود نمی‌یافت صدایش می‌زد. گیتا بی‌درنگ به سویش می‌شتافت و کنارش می‌نشست و زن به او تکیه می‌داد. گیتا لرزش خفیف تن زن را حس می‌کرد و خود را همچون درختی پر شاخ و برگ در نظر می‌آورد که

پرنده‌ای زخمی یا حیوانی مجروح را در پناه می‌گیرد. در الهه چیزی از این هر دو می‌دید.

هنگام مرخصی کاری، گیتا پیشنهاد کرد به جای شهرام الهه را در جلسه‌های شیمی‌درمانی همراهی کند. به محض بازگشت به خانه، الهه با چشم‌های بسته روی کاناپه منتظر می‌ماند تا شهرام چکمه‌ها را از پایش در می‌آورد و تلوتلوخوران به اتاق می‌رفت، روی تخت دراز می‌کشید و ناله‌هایش برمی‌خاست. دقایقی بعد، پوشیده در پیراهن ابریشمی بلند و گشاد به سالن بر می‌گشت.

بعضی شب‌ها قرار بر قصه‌خوانی بود. الهه روی کاناپه می‌نشست و چشم‌ها را به انتظار صدای زنگ می‌بست تا سینا از راه برسد. در این شب‌ها لب به غذا نمی‌زد. گوش سپرده به قصه‌خوانی سینا، چای می‌نوشید. لرزش عضلاتش را زیر پیراهن ابریشمی می‌شد دید که مثل حیوانی زخمی دم به دم پرشی خفیف داشت. قطرات ریز عرق پیشانیش را می‌پوشاند. با گردن بلند و موهای ریخته که کف سرش را جابه‌جا نمایش می‌داد به پرنده‌ای بی‌بال و پر می‌ماند. آرایش صورتش در تضاد با سر بی مو غلیظ‌تر جلوه می‌کرد.

در این حال، الهه به چشم گیتا جانور شگفت‌انگیزی را تداعی می‌کرد، با همه وجوه حیوانی و انسانی و بی‌خویشی و هشیاری. وقتی میان داستانی که سینا با صدای مخملی می‌خواند چشم می‌گشود و چند کلمه‌ای در بارهٔ آن می‌گفت، برق شگفتی در نگاهش می‌درخشید. پس از آن دوباره چشم می‌بست. در تمرکز برای شنیدن قصه، صورتش، با خطوط بی‌حرکت، حالت ماسک به خود می‌گرفت. این احوال، در چشم گیتا، داستان‌خوانی شبانه‌شان را به نیایشی باستانی مانند می‌کرد که در آن، قصه، بین مرگ و زندگی پل می‌زد.

یکی از شب‌هایی که بنا بر قصه‌خوانی بود، سینا بیمار بود و نیامد. شهرام پیشنهاد کرد خواندن را به عهده گیرد. الهه نپذیرفت. در پاسخ اصرار مرد گفت که کلمات و جملات معناهای خود را در تلفظ سینا عریان می‌کنند، چرا که او نویسنده است و می‌داند چگونه با کلمات

عشق بورزد. مرد جوان این گفته را اشاره‌ای به عشق گذشته سینا و الهه تلقی کرد. با لحنی سرزنش‌آمیز پاسخ داد که با این بهانه‌ها نمی‌شود فضای اروتیکی را که دیگر وجود ندارد زنده کرد. الهه در جواب به او گفت که نه تنها احمق است بلکه بی‌رحم هم هست. وقتی شهرام خانه را با عصبانیت ترک کرد، زن پیش از آنکه به اتاقش برود، دقایقی، ایستاده مقابل آینه قدی، به تصویر خود خیره ماند.

صبح روز بعد، خلاف معمول، الهه زود از خواب بیدار شد و پیش از رفتن گیتا به کار با او صبحانه خورد. از رنگ‌های پاییزی گفت و از تاثیر جادویی که این فصل بر حالات روحی‌اش می‌گذاشت. هنگام خداحافظی از گیتا پرسید آیا آرایشگاه خوبی را سراغ دارد و خواهش کرد قراری برایش بگیرد.

۲۲

با هر حرکت قیچی، الهه که رنگ پریدهٔ صورتش به زردی می‌زد، آهی سکسکه‌وار می‌کشید.

پیش از نشستن زیر دست سلمانی، هنگام شستن سر، آب از رستنگاه موها به پیشانی و صورتش راه یافته و آرایشش را بهم ریخته بود. وقتی دستیار آرایشگر پنبه‌ای آغشته به لوسیون به او داده بود الهه با تردید دستمال را گرفته و چنان به دور و بر نگاه کرده بود انگار دارد عمل خلافی انجام می‌دهد. گیتا به آرامی پنبه را گرفته بود. زن گذاشته بود صورتش را پاک کند و او را زیر دست آرایشگر بنشاند.

گیتا علت نیمه طاسی الهه را به آرایشگر گفته بود. اشاره کرده بود که زن به زبان فرانسه آشنایی مختصری دارد. الهه کلمه‌ای نگفته بود و حالا، همان‌طور که به حرکت دست آرایشگر در آینه می‌نگریست چنان آه می‌کشید که مرد دست از کار برداشت.

با حیرت از گیتا پرسید: "خانم دردش می‌گیره؟"

"به مسیو بگو حالم مثل زنیه که برای اولین بار، اونهم تو پنجاه و پنج سالگی استریپ تیز می‌کنه!"

گیتا حرف الهه را ترجمه کرد. مرد حرکت قیچی را از سر گرفت و لبخندی زد: "به خانم بگین نگران موهای قشنگش نباشه. به زودی زود سر جاشونن."

دقایقی بعد کار سلمانی پایان یافت. با موهای چندسانتی و چتری کوتاهی روی پیشانی، چشم‌های زن درشت‌تر می‌نمود. الهه که چشم از آینه برنمی‌داشت دربارهٔ آرایش صورت پرسید.

مرد به طبقه بالا راهنمایی‌شان کرد. دیوارها سراسر آینه بود. روی

رف‌ها و میزها، لوازم آرایش چیده بودند. مانیکوریستی با روپوشی صورتی‌رنگ بر تن، دست‌های زنی را پیرایش می‌کرد. هوا به عطر لوسیون و پودر آغشته بود و موسیقی ملایمی پخش می‌شد.

الهه زمزمه کرد: "عاشق فضاهای زنونه‌ام، چه فراموشی دل‌انگیزی!"

زنی آراسته به استقبالشان آمد. گیتا الهه را به دست او سپرد و به طبقه همکف بازگشت. آرایشگر پشت میزی که رویش دسته‌ای مجله به چشم می‌خورد نشسته بود و قهوه می‌نوشید. گیتا فکری را که لحظه‌ای پیش در سرش جوانه زده بود با او در میان گذاشت. تصمیم گرفته بود موهایش را کوتاه کند.

مرد به ساعتش نگاهی انداخت و با اشاره‌ای دستیار را فراخواند. گیتا سرش را به ریزش آرامش‌بخش آب سپرد و دقایقی بعد زیردست سلمانی نشست. از او خواست موهایش را به سبک و سیاق الهه کوتاه کند. مرد از تقاضای او آشکارا تعجب زده شده بود. به نظرش حیف بود گیتا موهای بلند زیبایش را این‌قدر کوتاه کند. مدلی دیگر پیشنهاد کرد، اما گیتا بر تقاضایش اصرار داشت. بی هیچ احساس تاسفی حرکت ماهرانهٔ دست آرایشگر را در آینه می‌نگریست و کوتاه شدن موهایش را تماشا می‌کرد. وقتی از جا برخاست حس سبکباری فرایش گرفت.

با دیدن گیتا، الهه جیغ شادی زد و برق پیروزمندانه‌ای در چشم‌هایش درخشید. بازوی او را گرفت و با هم به طرف آینه قدی کنار در رفتند. در نور ملایم سلمانی، چهره الهه در آینه، با چتری کوتاه و آرایش، زیبایی زنی کامل را داشت و در کنارش گیتا با موهای پسرانه و صورت بی آرایش به دختر بچه‌ای تازه بالغ می‌ماند. زن دست او را گرم فشرد و به تصویرشان در آینه لبخند زد.

وقتی از آرایشگاه بیرون آمدند موج هوای سرد به استقبالشان آمد. الهه دست بهم کوفت: "از اون شب‌های زمستونی‌یه که آفریده شده واسه جشن گرفتن! نشستن دور یه میز بزرگ، بالا بردن جام‌ها! گوش دادن به آهنگ خنده‌ها که از صدای موسیقی بلندتره."

وقتی در ماشین جا گرفتند، مثل همیشه سرش را به پشتی صندلی تکیه داد، اما چشم‌ها را نبست. از پنجره بیرون را نگاه می‌کرد و با آه‌های مسرت‌بار زیبایی پاریس را می‌ستود: "حس می‌کنم به همون سال‌ها برگشتم، سال‌های شاد بالماسکه"

"بالماسکه؟!"

"خنکی پودر رو گونه‌ها! فش فش عطرپاش! یه جام شراب و یه فنجون قهوه ... با یه حرکت می‌تونستی نقاب دلخواه رو بزنی، اسمرالدای هوگو، آنای تولستوی، امای فلوبر، فئودرای بالزاک، مرسدهٔ دوما ..."

زنگ صدای نازکش طنینی شاد داشت: "می‌تونستی صورتای دیگه‌ای خلق کنی! صاحب اختیار رویاها بشی!"

وقتی گیتا ماشین را پارک کرد الهه روی صندلی جابه‌جا شد ولی دوباره سر را به پشتی تکیه داد. گیتا هم از پیاده شدن منصرف شد و گوش به حرف‌های او سپرد.

"هر روز از بلندگوی زندان اسم‌ها رو صدا می‌کردن. پشت دیوار تیربارونشون می‌کردن. بعد از شنیدن رگبار تک تیرای خلاص رو می‌شمردیم. تو سلول با دوتا دختر جوون دوست شده بودم که تو تظاهرات دستگیر شده بودن. از ترس داشتن دیوونه می‌شدن. یکیشون شروع کرده بود با خودش حرف زدن. پیشنهاد کردم بازی قصه‌نویسی کنیم. قلم و کاغذ نداشتیم. با صدای بلند دیکته می‌کردم و اونا ادای نوشتن رو درمی‌آوردن. کم کم دخترا از حال جنون در اومدن. تو اون سلول تنگ یه دنیای بزرگ می‌ساختم. تو اوج بندگی خدا شده بودم."

گیتا پرسید: "عاقبت چی؟ آزاد شدن؟"

"یه روز برای اعدام صداشون کردن. وقت رفتن نمی‌ترسیدن. من هم تا اونجا بودم نمی‌ترسیدم، اما وقتی آزاد شدم شروع کردم کابوس دیدن. همه برام غریبه شده بودن. حتی حوصله بچه رو نداشتم. اونم بعد از یکسال دوری منو نمی‌شناخت. واسه نجات از اضطراب دیوونه‌وار می‌نوشتم. دو تا منشی گرفتم ولی کفایت نمی‌کرد. حالا صدها صفحه

تو کشوها خاک می‌خورن. فقط یه رمانم به چاپ رسید. از تیغ سانسور مثله آمد بیرون. وقتی تو ویترین کتابفروشی‌ها می‌دیدمش حس می‌کردم جنده‌ام!"

خنده ریزی سر داد و آینه ماشین را طرف خود چرخاند. گیتا چراغ سقفی ماشین را روشن کرد. الهه همان‌طور که در آینه نگاه می‌کرد ادامه داد.

"تا ده سالگی موهام همین‌جور کوتاه بود. تا اینکه قصهٔ شاهزده خانوم‌هایی رو خوندم که گیس‌های بافته رو از پنجره قلعه می‌انداختن پایین تا عاشق‌ها از دیوار قلعه بیان بالا. دیگه نذاشتم موهام رو کوتاه کنن. بعدها با تموم شدن هر عشقی یه وجبش رو می‌زدم. تا رسید رو شونه‌هام. دیگه کوتاه ترشون نکردم ... اگر نه سال‌ها بود مو به سر نداشتم!"

سرش را با نگاهی مهربان به طرف گیتا چرخاند: "بریم خونه!"

با دیدن آن‌ها، فریاد حیرت شهرام برخاست و بعد نوبت تعریف و تمجیدهایش از آرایش تازهٔ آن دو رسید. غذا را حاضر کرده و میز را چیده بود، اما خود او نمی‌توانست با آن‌ها شام بخورد. با یکی از هم دانشکده‌ای‌های سابقش وعده داشت و آماده رفتن بود. الهه به چالاکی پالتو از تن در آورد، به جا رختی آویخت و به طرف آینه قدی رفت. شهرام رفت و کنار او ایستاد.

گیتا، نشسته بر مبل، آنها را در آینه می‌دید. شاید جلای بلوطی موها بود، یا درخشش عنابی جلیقهٔ اطلس، که به صورت مرد شادابی چشمگیری می‌بخشید و آرایش چهرهٔ الهه را به ماسکی مانند می‌کرد.

الهه از آینه رو برگرداند. شهرام دست در بازوی زن حلقه کرد و او را طرف آینه برگرداند: "تابلوی به این زیبایی رو به هم نزن!"

"فردا برات وقت آرایشگاه می‌گیریم موهات رو کوتاه کنی!"

شهرام دست از بازوی او برداشت و تعجب زده پرسید: "برای من؟"

الهه سر سوی گیتا گرداند: "چه ذوقی کردم گیتاجان موهات رو کوتاه کردی!"

شهرام بانگ برداشت: "نه عزیزم إ مـن موهـامو بـه قیچـی نمیـدم! سامسون زورش تو موهاش بود و من تموم احساس‌هام!"

بوسه‌ای از گونه الهه برداشت: "خودت بهتـر مـی‌دونـی عشـق مـن! احساسات رو نباید قیچی کرد!"

۲۳

"با این موهای کوتاه برام غریبه‌ای!"

سینا همان‌طور که این کلمات را بر زبان می‌راند گیتا را به طرف خود کشید و بوسه‌ای کوتاه بر لبش زد.

"غریبگی بد یا خوب؟"

مرد بوسه‌ای دیگر بر لب گیتا زد و گفت: "آشنای ناشناس! که دلم می‌خواد خوب باهاش آشنا بشم!"

دست در دست هم به سوی رختخواب رفتند و دراز کشیدند.

غروب بود و اتاق نیمه تاریک. سینا سر به دست تکیه داد به گیتا نگریست. انگشتش را روی پیشانی او کشید و زمزمه کرد: "این پیشونی رو می‌شناسم."

انگشت‌هایش آرام حرکت می‌کردند: "این کمان ابروها رو هم. و این پره‌های بینی!"

خم شد و بوسه‌ای از پیشانی گیتا گرفت. سر برداشت و در سکوت برهنه شدن زن را تماشا کرد. بعد به تانی لباس از تن کند: "خوب! بگذار ببینم تنت هم با من آشناست یا نه!"

با نوازشی ملایم که آهنگ بوسه‌ها تند و کندش می‌کرد، انگشت‌هایش را روی گونه‌ها و گردن زن به گردش در آورد. گیتا به طرفش چرخید. چشم‌های مرد بسته بود و نفس‌هایش آرام. وقتی گیتا روی او قرار گرفت، لبخند زد و لب‌های زن را به دهان گرفت. دهانش سرد و عضلاتش زیر تن گیتا بی‌تنش بود.

زن لغزید و کنار مرد دراز کشید. دست پیش برد و آلتش را لمس کرد. فسرده و بی‌جنبش بود. مثل عضوی جدا از پیکر.

سینا آهسته گفت: "سردم شد، بهتره لباس بپوشم."
با کرختی برخاست و به کندی لباس‌هایش را به تن کرد. گیتا هم برخاست. لحظه‌ای لبه تخت نشست و بعد پیراهنش را با شتاب در بر کرد.
سینا به آشپزخانه رفت و سیگار بر لب برگشت. بعد از مدتی ترک، دوباره از سر گرفته بود. از پنجره نگاهی به بیرون انداخت و گفت: "یکشنبه‌ها انگار زودتر شب می‌شه؟"
"شاید به خاطر تعطیلی مغازه‌ها!"
"فرانسویه، کوچه بغلی، یکشنبه‌ها بازه. موافقی با شام؟"
"مگه شام رو با الهه و شهرام ..."
سینا حرف را برید: "زنگ می‌زنیم منتظر نشن."
بیرون خانه هوای سرد شب از التهاب گیتا می‌کاست. با هر گام حس می‌کرد دلش آرام و آرام‌تر می‌شود. وقتی گارسون ظرف‌های سوپ داغ را مقابلشان گذاشت انگار آخرین ذره‌های ناآرامی‌اش با بخاری که از سوپ بلند می‌شد پراکنده و دور شد.
اولین قاشق را به دهان گذاشت: "خوشمزه‌س! جای الهه خالی!"
سینا حرفی نزد. قاشقی سوپ به دهان گذاشت و بلافاصله قاشقی دیگر، آنقدر با شتاب که به دقیقه‌ای ظرف خالی شد. به صندلی تکیه داد و سیگاری آتش زد و سر به سوی گیتا خم کرد.
"می‌گفتی باید خیلی هیجان انگیز باشه که وقتی نقطهٔ آخر رو می‌گذارم قهرمان رمانم می‌یاد سراغم."
"همین طوره!"
سینا پکی دیگر به سیگارش زد: "آره! قهرمان با گوشت و پوست جلو چشم‌های نویسنده ظاهر شده ... و نویسنده به عیان می‌بینه هیچی تو کار نیست! نه رازی و نه رمزی و نه سایه روشنی."
"بعد از این همه سال، طبیعیه که الهه همونی نباشه که تو ..."
سینا دوید وسط حرف: "مسئله این نیست عزیزم! مسئله اینه که نه معمایی در کاره و نه کشفی، و نه گره‌ای که بازشدن بخواد. و آخر کار

صفحه‌های سیاه شده سالیان ... چیزی جز یک انشای بد نیست!"

به بشقاب نیمه‌پر گیتا نگاهی انداخت: "سوپ رو دوست نداشتی؟"

سوپ عالی بود ولی گیتا اشتها نداشت. گارسون ظرف‌ها را جمع کرد. گیتا نمی‌دانست چه بگوید تا سکوت سنگینی را که برقرار شده بود بشکند.

دقیقه‌ای بعد گارسون بشقاب‌های فیله گوساله و سیب زمینی را برابرشان گذاشت. سینا با همان شتابی که سوپ را خورده بود شروع به قطعه قطعه کردن گوشت کرد. بعد کارد و چنگال را در بشقاب گذاشت و به گیتا که تماشایش می‌کرد لبخند زد.

زن با نگرانی پرسید: "خوب ! حالا رمان رو ..."

سینا دوید توی حرف: "انداختمش تو سطل آشغال!"

با لبخندی محو افزود: "نعمتیه کامپیوترا! راحتمون کرده از پاره کردن و سوزوندن کاغذ و این جور کثافت‌کاری‌ها. کلیک! حذف! یه کلیک دیگه! روونه سطل آشغال. یه کلیک دیگه! اثری از آثارش نمی‌مونه."

"چی؟! شوخی می‌کنی؟! یه نسخه که نگهداشتی حتماً؟!"

"نه!..به هیچ دردی نمی‌خورد. می‌شه موضوع صحبت رو عوض کنیم؟"

"چقدر منتظر خوندنش بودم ..."

"باور کن عزیزم! هیچی از دست ندادی."

به بشقاب غذای دست نخورده گیتا نگاه کرد: "غذات از دهن افتاد ... امشب همه‌چی سرد و نصفه کاره‌ست. معذرت می‌خوام!"

گیتا تکه‌ای گوشت به دهان گذاشت و همان‌طورکه لقمه را می‌جوید سعی کرد به افکار آشفته‌اش نظمی بدهد.

صدای سینا بلند شد: "خوب! بذار خواب دیشبم رو برات بگم. برای اولین بار همه زن‌های سابقم رو با هم دیدم!"

جرعه‌ای دیگر شراب نوشید: "یه مهمونی بزرگ بود و من خیلی جوون‌تر و خوش قیافه‌تر از خودم!"

"اینجا یا ایران؟"

"نمی‌دونم. یه شب تابستون بود تو یه باغ بزرگ و یه موسیقی شاد. و من تمام شب رقصیدم. جات خالی ببینی چه رقصی! منی که اصلاً رقص بلد نیستم."

از ذهن گیتا گذشت بپرسد خودش آنجا بوده یانه، اما منصرف شد.

سینا انگار فکر او را خوانده باشد گفت: "تو نبودی. اما باهم قرار داشتیم. بعد از مهمونی!"

"اوف!"

"می‌دونستم داره دیر می‌شه. ولی می‌بایست با همه زنای سابقم برقصم تا بتونم مهمونی رو ترک کنم. رقصی که تمومی نداشت."

"همه؟ زنای سابق و معشوق‌ها؟"

"آره! همه‌شون!"

گیتا همان‌طور که به لبخند سینا می‌نگریست از خود پرسید در کدام رده جا می‌گیرد. نه زندگی زوج‌ها را داشتند و نه سودای عاشق و معشوق‌ها را. سرمای ساعتی پیش را دوباره در ستون فقراتش حس کرد و فکری به سرعت برق از ذهنش گذشت. الهه آمده بود و سحر عشق‌ورزیشان باطل شده بود.

"به ساعتم نگاه می‌کردم و می‌دیدم داره دیر و دیرتر میشه. ولی چاره‌ای نداشتم. داشتم فکر می‌کردم چه کنم که بیدار شدم!"

با نگاهی مهربان به گیتا نگریست: "چه فکرهایی توی اون سر آلاگارسون می‌گذره؟"

"به این فکر می‌کنم که با اومدن الهه انگار از یه خواب شیرین پریدیم ..."

"همینطوره عزیزم درست همین‌طوره!"

دست پیش برد و دست گیتا را جست:"بیدار که شدم اولین فکری که از سرم گذشت این بود که کاش کنارم بودی! بعد فکر کردم شاید تو هم داری یه جایی، تو یه باغ و راغی می‌رقصی!"

"من حتماً وقت زیادی می‌آوردم. مردای سابق زندگیم دو سه تا

بیشتر نیستن."

"شاید به لطف رویا بیشتر بشن. به تجربه‌ش می‌ارزه!"

"پس برم یه رویا سفارش بدم"

"دست نگهدار باهم بریم. امروز صبح یک فکر درخشان به سرم زد."

در راه بازگشت سینا طرحش را به گیتا گفت: تدارک یک مهمانی به مناسبت آغاز سال دو هزار که همزمان می‌شد با پایان شیمی درمانی الهه و دعوت از دوستان سابق که در اروپا و آمریکا ساکن بودند. بیشتر عشاق قدیمی زن بودند و سینا مطمئن بود دیدار دوباره آن‌ها رویداد هیجان‌انگیزی خواهد بود.

"الهه عاشق مهمونیه! ... به‌علاوه، یادآوری فتوحاتش باید براش جذاب باشه!"

"کاش اینطور باشه."

"شاید رمان من باید از اینجا شروع بشه!"

۲۴

چند روز بعد، جمعه شبی که بعد از شام دور میز شراب می‌خوردند و گپ می‌زدند سینا فکر مهمانی را پیش کشید.

"شب یلدا عالیه! طولانی‌ترین شب سال، نماد پیروزی روشنایی بر تاریکی. مژدهٔ محال! اما جشن گرفتن بهتر از هیچیه"

الهه گفت: "مثل اون سال‌ها!" و با لبخندی همدستانه به سینا افزود: "یادته؟"

شهرام پوزخند زد: "مگه بعد از اون سال‌ها مهمونی کم گرفتی؟"

گیتا گفت: "فقط دوماه و پونزده روز فرصت داریم برای تدارک."

سینا گفت: "بعضی کارها رو من پیش برده‌ام ..."

الهه دستی به سر خود کشید: "آخ ! با این سر پسرونه لباس شب جلوه نداره!"

سینا لبخند زد: "اتفاقاً کنتراستش محشره!"

شهرام با همان لحن سخره‌آمیز گفت: "تو خونه‌های کوچک پاریس که نمی‌شه مهمونی داد و جلوه‌فروشی کرد!"

الهه با خونسردی گفت: "دهنت رو ببند عزیز!"

"خسرو فراهانی، از عشاق سابق الهه که ایتالیا زندگی می‌کنه یه خونه بزرگ تو حومه پاریس داره که برای مهمونی در اختیار ما می‌گذاره. خودش هم با اشتیاق میاد!"

سینا جرعه‌ای شراب نوشید و با لبخند افزود: "حواستون هست چطور مغناطیس الهه آدم‌ها رو از راه دور هم به جنب و جوش می‌ندازه؟ ماها از نزدیک این رو زندگی کردیم. می‌ارزه براتون تعریف کنم."

از جا برخاست. به طرف راهرویی رفت که سالن را از اتاق‌ها جدا می‌کرد و کنار دیوار ایستاد. نگاهش روی جمع که یکباره ساکت شده بود چرخید.

"تو تاریک روشن کوچه می‌رسیدی به در اون خونه که از پنجره نیمه بازش ترنم موسیقی و صدای خنده به گوش می‌رسید."

سینا تقه‌ای به دیوار زد و بعد تقه‌ای دیگر.

"به در می‌کوبیدی و باز می‌شد. از سرسرا می‌گذشتی. رختکنی تو کار نبود، اما به محض ورود به خونه، انگار وارد یک رختکن جادویی می‌شدی، اون تو پوست می‌انداختی. یه آدم دیگه می‌شدی، با سری پر از فکرهای بدیع و چنته‌ای پر از حرف‌های تازه!"

گامی به جلو برداشت.

"وارد سالن که می‌شدی، پا می‌گذاشتی به دنیایی که قد و قواره آدم‌هاش رو اندازهٔ قهرمان‌های شاهکارهای ادبی بریده بودن... شوق مستی در هوا موج می‌زد ... شراب نابی می‌نوشیدی که تخیلات نیرومند بر می‌انگیخت و ..."

گامی دیگر برداشت و ادامه داد.

"و مرکزهمه این جاذبه‌ها الهه بود. وجودش حکمی بود بر هوش ما، فکرهای بدیع ما و قدرت ما. فتح قلبش عرصه رقابت‌مون بود و شکست خوردن تو عشقش اوج تلخکامی محتوم آدم تو بازی زندگی. الهه همون ملکه قاهری بود که پیش شکوه جمالش همه زن‌ها کنیزن ..."

مکثی کرد و افزود. "و ما، هرکدوم شهریاری بودیم در حرمی بزرگ، زنا زیر رون‌هامون و دلامون تنها!"

لبخندی با برق شوخ چشم‌هایش همراه شد: "اما بازی اونقدر جدی نبود که گردن ملکه بی‌وفا رو بزنیم و دل به اومدن شهرزادی خوش کنیم ... خودمون هم قصه‌گو بودیم و هم قهرمان قصه!"

با گام‌هایی آرام به سوی صندلیش رفت، نشست و پشت راست کرد: "قصه تمام شد!"

به طرف گیتا خم شد و آهسته گفت: "آره عزیزم! تو پشت پنجره رویا می‌بافتی و ما اون طرف پنجره!"

به الهه که ساکت روی صندلی نشسته بود نگاه کرد و لبخند زد. زن پشت صاف کرد و شانه بالا انداخت.

بانگ شهرام بلند شد: "نمایش جالبی بود، اما چرا تنها واقعیتی رو که به گفتنش می‌ارزه به سکوت برگزار کنیم: مملکتی که از شاه تا هنرمندها و روشنفکرهاش تو هپروت باشن باید هم با کابوس همچین انقلابی ازخواب بپره!"

رو به طرف الهه گرداند: "امروز اما، تاج عشق واقعی بر سر زیبای الهه ..."

"می‌تونی خفه شی؟! ... سر زیبا! گر و کچل!"

"نبود قاب از شکوه یه نقاشی شاهکار کم نمی‌کنه!"

"دروغ! دروغ! بسه!"

الهه با چالاکی غیر منتظره‌ای از جا برخاست و از سالن بیرون رفت.

ثانیه‌ای بعد صدای بسته شدن در اتاق سکوت جمع را شکست.

شهرام از جا برخاست: "با اجازه همگی می‌رم قدمی بزنم!"

سینا با لبخندی آرام خم شد و بوسه‌ای بر گونه گیتا زد: "من هم زحمت رو کم می‌کنم!"

۲۵

در اتاق الهه بسته بود. گیتا چندبار زن را صدا زد. پاسخی نیامد. به سالن برگشت و خود را با جمع و جور کردن اتاق و آشپزخانه سرگرم کرد. پاسی از نیمه شب گذشته لباس کند و به رختخواب رفت. خوابی که به سراغش آمد سبک بود.

نیمه‌های شب بیدار شد. رشته نوری درون اتاق خزیده بود. برخاست و آهسته در را باز کرد و به راهرو رفت. در اتاق الهه باز بود و تختخوابش خالی.

به سالن رفت. زن با سری خمیده روی کاناپه نشسته بود. شالی سبز سر و شانه‌هاش را می‌پوشاند. به صدای گام‌های گیتا سر برنگرداند. کتابی بزرگ روی زانوهاش باز بود.

گیتا آرام کنار او نشست و با نگاهی به صفحه کتاب، سوره قران را بازشناخت. نیمه بالای صفحه عربی بود و پایین فارسی. الهه سر از کتاب برداشت و چشم به گیتا دوخت. بعد نگاهش را به صفحه برگرداند و با صدای رسا و بی هیچ لرزش خواند.

"بخوان به نام پروردگارت که آفریده است؛ که انسان را از نطفه و سپس خون بسته آفریده است؛ بخوان پروردگار تو بس گرامی است؛ همان که با قلم و کتابت انسان را آموزش داد؛ به انسان چیزی را که نمی‌دانست آموخت. چنین نیست؛ بی‌گمان انسان سر به طغیان برآورد؛ از این که خود را بی نیاز و توانگر بیند؛ همانا بازگشت پروردگار به سوی توست؛ آیا نگریسته‌ای کسی را که بازمی‌دارد؛ بنده‌ای را که به نماز برخیزد؛ آیا اندیشیده‌ای که اگر انکار پیشه کند و روی برتابد فقط خود را نابود می‌سازد؛ آیا نمی‌داند که همانا خداوند همه چیز را

می‌بیند؟! حاشا اگر از آن کار دست بـر نـدارد، مـوی پیشـانی او را بـه سختی بگیریم؛ موی پیشانی دروغـزن خطـا پیشـه را؛ پـس مذبوحانـه هم‌مجلسانش را به کمک بخواند؛ ما نیز آتشبانان دوزخ را فـرا خـوانیم؛ حاشا، از او پیروی مکن، و سجده بر و تقرب بجوی."

کتاب را به آرامی بست و بر آن بوسه‌ای زد. با چشم‌هـای بسـته بـه خواندن وردی نامفهوم پرداخت. با سر خمیده و لرزش شانه‌هایش زیـر شال به زنی می‌ماند که بر بالین مرده‌ای مویه می‌کند.

به آنی کتاب بزرگ جلد سیاه در نظـر گیتـا چـون تـابوت نـوزادی جلوه‌گر شد. موج سرما در مهـره‌هـای پشـتش دویـد و پسـتانش تیـر کشید. تکانی به خود داد شاید از هجوم دهشـت پـیش گیـرد. الهـه از زمزمه ایستاد و دست بر زانوی او گذاشت. حـرارت دسـتش تنـد بـود. گیتا دست به پیشانی او گذاشت و دید از تـب مـی‌سـوزد. بـه سـرعت برخاست و زن را که با چشم‌های بسته خود را بـه او سـپرده بـود روی کاناپه خواباند. داروی تب بر به او خوراند و به تدارک پاشویه پرداخت.

ساعتی بعد تب فروکش کرد و برق جهنده از چشم‌ها رخت بربست. گیتا زن را همراهی کرد تا به رختخـواب بـرود. امـا الهـه قصـد خـواب نداشت. مقابل میز آرایش نشست و به آینه خیره شد. گیتـا لبـه تخـت نشست. صورت رنگ‌پریده زن را در آینه می‌دید که چشم دوختـه بـود به جمله حک شده بر قاب آینه که در میانه یـک مربـع طلایـی رنـگ کنده کاری شده بود: «DIEU ET MON DROIT»

ساعت‌ها با سرخوشی در سمساری‌ها پرسه زده بودند، تا عاقبـت، در مغازه‌ای که اسباب نوسازی شده مستعمرات خاور دور را مـی‌فروخـت، الهه این میز آرایش را دیده بود. با آنکه مشخصات میز با آنچه دنبـالش می‌گشت تطابق نداشت برای خریـدنش پافشـاری کـرده بـود. کلمـات حک شده بر قاب آینه سخت چشمش را گرفته بود. شـهرام مـی‌گفـت این جمله، شـعاری متعلـق بـه امپراتـوری بریتانیـا اسـت کـه حقـوق خداگونه شاهان و ملکه‌ها را یادآوری می‌کنـد. بـه شـوخی بـه صـاحب مغازه گفته بـود الهـه در یکـی از زنـدگی‌هـای پیشـینش، ملکـه یـک

امپراتوری بزرگ بوده است.

صدای الهه برخاست: "خدا و حق من!"

خم شد و از یکی از کشوهای میز دفتری را بیرون آورد. کنار گیتا روی لبه تخت نشست و دفترچه را گشود.

"ده‌ها داستان ناتمام! روزها و روزها دیکته کردم. نشد! به محض نوشتن کلمات الکن می‌شدن! دیده‌ها راه تخیلم رو می‌بست. نگاه کن!"

دفتر را ورق زد. بر سر هر صفحه نامی نوشته شده بود و چند خطی ناتمام رها گشته.

"فقط اسم ها باقی مونده"

به صفحهٔ آغازین برگشت و شروع به خواندن کرد: "زهره. سوسن. سهیلا. پوران. فاطمه. فریبا. مهری. پروین. زهرا. صفیه. مژگان. ناهید. میهن. رکسانا. گیتی. کتایون. مینا. ویدا.

مکثی کرد و گفت: "خیلی‌ها وقتی دستگیر می‌شدن اسم واقعی رو نمی‌گفتن. نمی‌تونستی مطمئن باشی درستن، نه اسم‌ها و نه سرگذشت‌ها"

صفحه را ورق زد و خواندن نام‌ها را از سر گرفت."یاسمن. مهشید. سارا. بانو. گلرخ. لیلا. ژیلا."

بر صفحهٔ ژیلا نوشته بود: "در راه دبیرستان دستگیر شده بود. پیرترین زندانی‌ها هنوز سی ساله نشده بودند"

الهه از خواندن باز ایستاد. بانگ برداشت: "این کاملاً واقعیت داشت. جوونی‌شون رو نمی‌شد مخفی کنند."

از جا برخاست. دفتر را به گیتا داد و از او خواست خواندن را ادامه بدهد. گیتا دفتر را گرفت و به الهه توصیه کرد دراز بکشد. زن پذیرفت و دراز کشیده روی تخت گوش به گیتا سپرد.

"گلنار. نسترن. زیبا. زویا. مهرنوش. یلدا. فرناز ..."

گیتا خط‌های نوشته برصفحه فرناز را خواند:

"از بازجویی برگشته. پاهای ورم کرده و خون‌آلودش توی کفش‌ها جا نمی‌شود. قبلاً کمک پرستار بوده. حالا به زندانی‌های زخمی

می‌رسد. آرام است و همیشه خندان، حتی وقتی تعریف می‌کند چطور زیر شلاق حجابش افتاده و مامور سرش داد زده: جنده!"

صدای الهه بلند شد: "این بدن‌ها هم کاملاً واقعی بودن ... این بدن‌های سر تا پا درد."

گیتا خواندن را از سر گرفت: "هما. راضیه. شهلا. فرح. بهناز. ثریا. مرجان. لادن. میترا ..."

خطوط نوشته روی صفحه میترا را خواند: "نیمه شب، در خواب، با صدای بچه‌گانه‌اش داد می‌زند: مامان. مادرش او را دست تنها، با خدمت در خانه‌ها بزرگ کرده."

"اقدس. شیرین. فروغ. رعنا. نسرین. شهرنوش. شهین. نوشین ..."

"صدای جیغ یکباره توی بند به هوا می‌رود. باز نوشین دارد به خدا فحش می‌دهد و بد و بیراه می‌گوید. نگهبان‌ها او را می‌برند. وقتی برش می‌گردانند چندروزی ساکت است و دوباره نعره!"

"نورا. سمیه. پروانه. منیره. قدسی. نجمه ..."

"می‌گویند به نجمه تجاوز شده. گاهی لباس‌هایش را تکه تکه از تن می‌کند. لخت توی سلول قدم می‌زند و آوازهای رکیک می‌خواند. یک روز می‌برندش و دیگر به بند برنمی‌گردد. صدایش را هنوز توی گوش‌هام می‌شنوم که شل و کشدار می‌خواند: من جندهٔ آبگوشتی! قربون حاجی مشتی!"

صدای الهه برخاست: "صدا! شب و روز صدا! نمی‌شد نشنوی ... صدای روضه مدام از بلندگو پخش می‌شد و می‌ریخت تو گوشات ... صدای آه و فریادها ... نه! نمی‌شد نشنوی!"

از تخت پایین آمد. به طرف میز آرایش رفت. روی صندلی نشست و از گیتا خواست خواندن را از سر بگیرد:

"فرشته. غزاله. مرضیه. فرزانه. فتانه. منیژه. صدیقه ..."

"بعد از توبه اسمش را از فتانه به صدیقه عوض کرده بود. به مصداق اسم قبلی زیبا و شوخ و شنگ بود. با خواهرش منیژه هم سلول بودند. می‌گفتند زیر شکنجه خواهرش را لو داده، اما دو خواهر از هم جدا

نمی‌شدند. شب و روز بهم چسبیده بودند.

یک روز منیژه را برای اعدام صدا زدند. قبل از رفتن، به رسم سلول، دار و ندارشو به همبندی‌ها یادگاری داد. ژاکت آبی دستباف مادر را به خواهرش داد.

بعد از رفتن او، فتانه ساعت‌ها سر به زانو و بی صدا گوشه سلول نشست. وقتی سر برداشت صورت بچه گونه‌ش یکدفعه پیر شده بود.شروع به شکافتن نخ‌های ژاکت کرد. ساکت و صامت ژاکت پشمی را شکافت و کلاف کرد. کلاف‌های کانوا را مثل بقچه پیچید. زیر سرش گذاشت و خوابید. وقتی بیدار شد به زندگی عادی برگشت. ماه بعد اعلام کرد توبه کرده. اسمش را عوض کرد و گذاشت صدیقه تا از راه فتنه برگرده به جاده صلاح. یک چادر سیاه و یک جلد قران خواست. وعده‌های نمازش را سه برابر کرد تا نخوانده‌ها را جبران کند. مدام قران می‌خواند. بقچه آبی را هرگز از خود جدا نمی‌کرد. شب‌ها این بقچه متکای زیر سرش بود. نگهبان بند زنی عامی و کم سواد بود. احترام زیادی به فتانه می‌گذاشت. کمی هم از او می‌ترسید. گاهی به او اجازه می‌داد در ساعت غیر مجاز برای غسل کامل به حمام برود. یک روز صبح، در حمام مرده پیدایش کرد. لخت! آویزان از طناب آبی رنگ!"

گیتا زمزمه کرد: "وحشتناکه!"

الهه گفت: "ورق بزنیم صفحه رو."

گیتا خواند:

"شهره. فهیمه. مستوره. مرسده. سپیده. شفیقه. آذر. آزاده. فرخنده. محبوبه!"

خط نوشته بر صفحه آخررا خواند: "هفتاد و دو اسم و صدها قصه ناتمام!"

گیتا دفتر را بست.

روشنایی صبح از پنجره توی اتاق آمده بود و نور چراغ پریده رنگ می‌نمود.گیتا به الهه می‌نگریست و نمی‌توانست هیچ کلامی به زبان

آورد.
الهه به طرفش آمد و دفتر را از دستش گرفت. همان‌طور که به سینه‌اش می‌فشرد شروع به قدم زدن در اتاق کرد. دمی بعد دوباره روی صندلی نشست و دفتر را ورق زد.
"نه اسطوره و نه حماسه، نه قصه و نه تعزیه! فقط کلمات پراکنده یه کابوس."
به نظر گیتا می‌رسید که الهه کاملاً از پا درآمده. به آرامی او را روی تخت خواباند.
الهه نفس نفس می‌زد. گیتا کنارش دراز کشید و در آغوشش گرفت. زن سر به سینه او گذاشت. آرام آرام نفس‌هایش منظم شد. گیتا احساس می‌کرد خود نیز آرامشش را باز می‌یابد.
اندکی بعد زمزمه الهه را شنید: "بوی خوب گلاب و نارنج!"
از جا جهید: "باید مجلسمون رو تدارک ببینیم."
نیم خیز شد و به آنی بیرون از تختخواب بود. با شتاب نزدیک پنجره رفت. نگاهی به بیرون انداخت و گفت: "روز شده و این پسره پیداش نیست...کجا گم شده؟"
به طرف کمد لباس رفت. پیراهنی بلند و ارغوانی بیرون آورد و جلوی سینه‌اش گرفت. در آینه خود را ورانداز کرد: "اوف! این سر پسرونه لباس رو از جلوه میندازه."
خم شد واز کشوی پایین کمد جعبه مقوایی سفیدرنگی را بیرون آورد.
به گیتا که لبه تخت نشسته بود چشمکی زد: "وقت باز کردن این‌هم رسید!"
جعبه را باز کرد و گلاه گیسی با موهای بلند مشکی بیرون آورد. پیراهن را روی تخت پهن کرد. دور یقه باز پیراهن و پایین دامن که برشی کج داشت برلیان دوزی شده بود. گلاه گیس را طوری گذاشت که حلقه‌های سیاه براق موها روی یقه پیراهن ریخت.
گیتا گفت: "خیلی قشنگه!" و بلافاصله افزود: "با یه قهوه

چطوری؟"
الهه تنش را کش و قوس داد و دست بر هم کوفت:"عالیه! یه قهوه که بوش بپیچه تو خونه!"
گیتا به آشپزخانه رفت و قهوه جوش را به راه انداخت. بیش از آنکه خسته باشد آشفته بود. روی صندلی نشست و چشم‌هایش را بست.
اسم‌هایی که زن خوانده بود در سرش تکرار می‌شد و صورت‌هایی پیش چشمش می‌آمد که آشنا می‌نمود. گرد هم می‌آمدند و با شور و حرارت حرف می‌زدند. در آن میان بانگ هما را می‌شنید که او را صدا می‌زند.
دوباره کنار خواهر بزرگ بود، میان جمع دوستان او.

۲۶

"اوف! بوی خوش قهوه !"

صدای الهه گیتا را از خیالاتش بیرون کشید. پاشنه بلند کفش‌ها قد زن را بلندتر جلوه می‌داد. رنگ پرکلاغی کلاه گیس و خط چشم سیاه، سرخی بنفش لب‌ها و گونه‌هایش را به رخ می‌کشید. پوشیده در پیراهن بلند ارغوانی، با گام‌های نامطمئن به میز نزدیک شد و خود را روی صندلی رها کرد.

"راه رفتن با این پاشنه‌ها یادم رفته کم‌کم داره فراموشم می‌شه که زنم!"

"عجیبه! فکر می‌کردم ..."

الهه وسط حرف دوید: " فکر می‌کنی بدون نگاه ستایشگر، زیبایی می‌تونه وجود داشته باشه؟ ... حتی وقتی به خودت تو آینه نگاه می‌کنی داری از چشم یکی دیگه نگاه می‌کنی ... ."

فنجان قهوه را برداشت و جرعه‌ای نوشید: "الدنگ عوضی! فکر می‌کنی کجا گم شده!؟"

گیتا گفت: "حتماً برای نهار برمی‌گرده." و اشاره کرد که ساعت نزدیک نه صبح است.

"گور باباش! من مهسا رو می‌خوام! این حسود کاری کرد با ما نیاد!"

از جا برخاست و با گام‌های لرزان به سالن رفت و گوشی تلفن را برداشت.

گیتا به حرکات تند انگشت‌های الهه می‌نگریست و می‌کوشید حال دختر جوان را مجسم کند که مادرش از او می‌خواست چمدانش را فوری ببندد و عازم شود.

الهه گوشی را گذاشت و رو به گیتا کرد: "نمی‌دونست چی بگه از خوشحالی. مرسی مامی! مرسی مامی!"

چشمکی زد: "قیافه شهرام وقت شنیدن این خبر تماشائیه!"

در حالی که می‌کوشید توازنش را روی کفش‌های پاشنه بلند حفظ کند شروع به قدم زدن در طول و عرض سالن کوچک کرد.

در جواب گیتا که از او می‌خواست استراحت کند به نفی سر تکان می‌داد تا آنکه نفسش به شماره افتاد و خود را به دست او سپرد تا به اتاق ببرد و در تخت بخواباند. از گیتا خواست کنارش دراز بکشد. دستش را در دست گرفت و دقایقی بعد به خواب رفت.

گیتا به آرامی از کنار زن برخاست و اتاق را ترک کرد.

اولین فکری که به سرش زد این بود که برای هلن ازخیالاتی بنویسد که به مغزش هجوم آورده بودند و سخت آشفته‌اش می‌کردند.

"از مهمانی‌های الهه به جمع خواهرم و دوستانش سیر می‌کنم. نشسته‌ام پشت پنجره اتاقم و یا روی صندلی سالن پذیرایی خانه مان و همه حواسم مجذوب صحنه‌هایی‌ست که جلو چشمم می‌گذرد. بعد فکر می‌کنم عاقبت چه شد؟ به کجا کشید؟ به زندان. به مرگ. و حالا مهمانی دیگری در راه است. از خودم می‌پرسم این بار باید منتظر چی باشم؟"

۲۷

آن شب گیتا خواب خواهر بزرگ را دید. موهای هما خاکستری شده بود و شالی سفید و بزرگ بر شانه داشت. در آستانه خانه مجللی که میهمانی بزرگی در آن بر پا بود کنار مردی جوان ایستاده بود و به تازه واردها خوش آمد می‌گفت. گیتا را در آغوش گرفت و جوان را به او معرفی کرد. حرف‌هایی زد که گیتا بعد از بیداری هرچه سعی کرد به یاد نیاورد.

با زنگ تلفن از خواب بیدارشد. ساعت نزدیک دو بعد از ظهر بود. در حال خواب و بیدار، رویایش را برای سینا باز گفت.

ساعاتی بعد، وقتی الهه لباس پوشیده و آرایش کرده بود، شهرام از راه رسید. برخلاف همیشه، دسته گلی برای الهه نیاورده بود، اما رفتاری خوش و مهربان داشت. بی توجه به کنایه‌های زن به تدارک شام پرداخت.

سر میز شام، الهه با آب و تاب خبر آمدن مهسا را اعلام کرد. سینا از خبر ملاقات با دختر که تصویر کودکی او را در ذهن داشت اظهار شادمانی کرد. شهرام، خلاف انتظار الهه، روی موافق نشان داد. گفت عالی است که مهسا از این فرصت برای کشف پاریس جادویی بهره بگیرد.

بعد از شام، وسط تماشای فیلم، الهه از شهرام خواست او را به اتاقش ببرد. تکیه داده به مرد جوان، با دست برای سینا و گیتا بوسه‌ای فرستاد.

وقتی تنها شدند سینا با پوزخند گفت: "پایان تکراری برای یک ملودرام تکراری!"

"یه الهه دیگه هم هست! بیرون از صحنه!"

"قادره از صحنه دست برداره؟!"

گره از ابرو باز کرد و لبخند زد: "بگذریم! خواب دیشبت محشره! بهت پیغام می‌ده پسر خواهرت رو برای مهمونی دعوت کنی."

"پسر خواهرم رو؟!"

"آره عزیزم! وقتش شده گذشته رو احضار کنیم!"

با ملایمت، گیتا را که با حیرت به او می‌نگریست به سوی خود کشید و بوسه‌ای کوتاه بر لبش زد: "شاید اینجوری به حال‌مون برسیم!"

فردای آن روز، پیغام هلن، گیتا را به دعوت از پسر خواهرش مصمم‌تر کرد.

"مگرنه اینکه از سر میل در راه بازگشت به گذشته قدم نهاده‌اید؟ بهتر نیست اما که گذشته به یمن جشن بازگردد تا به مناسبت عزا؟"

سحر

۲۸

هربار در بزرگ فلزی باز می‌شد و گروهی مسافر بیرون می‌آمدند، گیتا با کنجکاوی سرک می‌کشید و حس می‌کرد ضربان قلبش تندتر می‌شود. چند هواپیما همزمان به زمین نشسته بود و تازه رسیده‌ها از کشورهای مختلف می‌آمدند.

بنا شده بود خواهرزادهٔ گیتا و دختر الهه با هم سفر کنند. رابطه‌شان راحت تر از آنچه گیتا فکر می‌کرد برقرار شده بود. هردو عضو کلوپ "No -گیر" بودند که جوان‌های عضوش خود را نوخواه می‌دانستند. می‌گفتند عاشق تازگی‌اند و همه گونه نوجویی را دنبال می‌کنند ولی حوصلهٔ گیر دادن و مته به خشخاش گذاشتن ندارند. گیتا و سینا از روی عکس‌های مهسا و سام بین مسافرها دنبالشان می‌گشتند. الهه گفته بود فضای فرودگاه مضطربش می‌کند و در خانه مانده بود.

سینا گفت: "خودشونن! دوتا "No -گیر"! شرط می‌بندم هیچ فرنگی باور نمی‌کنه اینا از اونجا میان!"

خودشان بودند. پسر و دختری جوان بلندبالا و خوش لباس. دختر جوان مانند خیلی از مسافرها که از ایران می‌رسیدند، بعد از خروج از هواپیما روسریش را برداشته بود. کت و دامن مشکی چسبانی پوشیده بود. پسر نیم پالتوی کاکی و شلوار گشادی به همان رنگ به تن داشت. گیتا پسر را به نام صدا زد. هر دو جوان به سوی صدا نگریستند و قدم تند کردند.

گیتا پسر را در آغوش گرفت و احساس کرد ماهوت پالتو و زبری ریش نمی‌گذارد لمسش کند.

"چه صحنهٔ باحالی! اجازه می‌دین عکس بگیرم؟"
دختر از کیف دستی‌اش دوربین کوچکی بیرون آورد: "دوباره هم رو ببوسین عالیه!"
این بار پسر گیتا را بغل کرد و در بازوان خود فشرد.
مهسا گفت: "تریپت عالیه! حیف که دوربین فیلم برداریم تو چمدونه!"
گیتا همانطور که از آغوش پسر جدا می‌شد سراپای او را ورانداز کرد: "حسابی ورزشکاری سامی جان!"
"تماشای فوتبال خودش یه جور ورزشه! ماشین سواری تو تهرون هم که از اون ورزشای خطرناکه! و از همه خطرناک‌تر رقص تو مهمونی!"
دختر گفت: "ما قبلاً تو مهمونی همدیگه‌رو دیده بودیم"
پسرگفت: "و حالا تو پاریس!" لبخند زد و افزود:"چه سفر خدایی! خیلی با حاله! مرسی خاله گیتا!"
با چنان راحتی گیتا را خاله خطاب کرد که او نزدیکی‌اش را با مهر پذیرفت. دست بر شانه‌اش گذاشت و سوی سینا هدایتش کرد: "این فکر رو سینا تو سرم انداخت. باید ازش تشکر کنیم."
مهسا به سینا گفت: "مامی اینقده از شما حرف زده که برام خیلی آشنایین! شیمی‌درمانی‌اش چطور پیش میره؟ دکترا چی می‌گن؟"
"عالی! فعلاً سخت در انتظار مهمونیه!"
در راه خانه، سینا برای جوان‌ها که از آمدن به پاریس سخت مشعوف بودند طرح مهمانی را گفت. مهسا و سام با هیجانی شاد خبر را پذیرا شدند.
نشاط دختر و پسر جوان گویی مسری بود. سر میز شام، با وجود غیبت شهرام، خنده‌های الهه طنینی بی غش داشت. مدتی بود قرار و مدارهای هر روزهٔ مرد جوان موضوع بگو مگو بود. با این‌همه الهه به راحتی پذیرفته بود شهرام به خانه دوستانش برود و جا برای مهسا خالی شود. سینا پیشنهاد کرده بود سام نزد او منزل کند. اما گیتا

مایل بود پسر جوان نزدیک او باشد. قرار شده بود او شب‌ها در سالن بخوابد و روزمره اتاق گیتا را با او شریک شود.

الهه از این ترتیبات راضی به نظر می‌رسید. به شهرام گفته بود اصراری نیست برای استقبال از مهسا در خانه باشد. وقتی به مهسا گفت سر شهرام را به طاق کوبیده، دختر جوان شانه بالا انداخت و چشمکی همدستانه با سینا رد و بدل کرد. گیتا به خود گفت انگار سال‌هاست آن دو یکدیگر را می‌شناسند.

گیتا هم با سام در عین غریبگی احساس آشنایی می‌کرد. انگار پس از گذشت سال‌ها دوست دوران کودکی‌اش را دوباره ملاقات کند و در چهره ناشناس او خطوط آشنا ببیند. پسر همان موهای بلوطی خوش حالت و همان پیشانی و گونه‌های خواهر را داشت، اما در صورتی پهن‌تر با چانه‌ای چهارگوش.ریشی تنک روی گونه‌ها و اندکی پرتر در چانه، نگاه را متوجه دهان نسبتاً بزرگ با لب‌های درشت می‌کرد که هماهنگ با بینی موزون حالتی با وقار و مغرور به صورت می‌بخشید. طرز نگه داشتن سر به این حالت می‌افزود و شیوه رفتارخواهر را به یاد می‌آورد بی آنکه چالاکی او را داشته باشد.کندی رفتار پسر انگار از استحکام پیکر عضلانی‌اش می‌کاست. لحن سخن گفتنش هم کمی کشدار بود.

دختر جوان برعکس، سبکبال و چالاک بود. بعد از تمام کردن غذا از جا برخاسته و پشت صندلی الهه ایستاده بود. در حال گوش دادن به حرف‌های او بوسه‌ای طولانی بر سرش زد. گیسوان شبگونش دو سوی صورت الهه رها شد و چهره زن را قاب گرفت. وقتی سر برداشت گویی به آنی دو منظر پیری و جوانی الهه در نظر آمد.

گیتا به سینا که چشم به مهسا و الهه داشت نگریست. هیچ تاثری در چهره آرام مرد دیده نمی‌شد.

۲۹

"دلم می‌خواد موهات رو کوتاه کنی!"
بعد از این پیشنهاد، الهه بی آنکه منتظر جواب مهسا باشد بـه گیتـا رو کرد: "از سلمونی قرار بگیریم!"
دخترگفت "هر چی تو بخوای مامی!"
سام گفت: "عجب تریپی بهم بزنی! مث بینوش، اول فـیلم The lovers on the bridge"
الهه گفت: "نه! کوتاه‌تر! کاملاً پسرونه! مثل خودم!"
"ماه شدی مامی با این کوپ به خدا!"
"بسه دروغ! تو دیگه ادای اون الدنگ رودرنیار."
الهه به ساعت دیواری نگاهی انداخت و بـا پوزخنـد افـزود: "نقـاش گمنام در شب فراموش نشدنی پاریس! کجا سرگردونه؟ معلوم نیست."
مهسا گفت: "این فیلمو هزار بار دیدم ... خداس!"
"حالش فقط بینوشه و شب پاریس! اما حوصله سر می‌بره ... زیـادی لاو می‌ترکونن!"
صدای الهه بلند شد: "آفرین سام! عشق وقتی خیال‌انگیزه که وصـل ناممکن باشه ... رومئو و ژولیت آزاد خل و چلن!"
پسر جوان گفت "رومئو و ژولیت اون وقت‌ها هم یه جورایی گـاگول بودن به خدا! وگرنه راه عشق و حال رو پیدا می‌کردن."
گیتا گفت: "حرف عشقه سامی جان!"
"عشقی که باهاش حال نکنی به چه درد می‌خوره؟ بـه درد آدمـای خیالاتی! تو زندگی واقعی ژولیت خانم می‌ره دنبـال اون رومئـویی کـه ماشینش باحال‌تره!"

گیتا گفت: "واقعاً این‌طوری فکر می‌کنی سامی جون؟"
سام سر تکان داد: "همه چی خریدنیه. فقط قیمتش فرق می‌کنه."
الهه با لحنی نیشدار به سینا گفت: " بفرمایین! پایان رویاها که میگی سراب ما بود! عاقبت واقعگرایی!"
رو به سام ادامه داد: "اما عشق رو نمی‌شه خرید. این دروغ بزرگ به باور نیاز داره. صد حیف عزیز! باور رو نمی‌شه خرید!"
با صدای باز شدن در و ظاهر شدن شهرام بر آستانه، ملالی که در لحن زن بود جایش را به تمسخری خشم‌آگین داد. صدا بالا برد: "اونوقت فقط می‌تونی دلت رو به دروغ‌های کوچیک خوش کنی!"
شهرام بی توجه به الهه با جمع خوش و بش سریعی کرد و گفت باید چمدانش را ببند و به اتاق رفت. مهسا کنار مادر نشست و به نوازش دست‌های او پرداخت.
صدای سام سکوتی را که ناگهان برقرار شده بود شکست: "من می‌گم رویا هم بایس بیارزه."
دست برد و زنجیری را که به گردن داشت از یقه پیراهنش به در آورد. روی پلاک مربع نقره‌ای تصویر چه‌گوارا حک شده بود.
"ایده‌آلیسم هم چه‌گوارایی‌اش باحاله.. همه چی‌ش خداس. کلاه کپی‌ش! نگاهش! سیگار برگش! ماشین و موتورش!"
سینا پرسید: "و آخرش چی؟"
سام گفت: "خدا بود آخرش ... نه مثل اونهائی که سربازای خدا نابودشون کردن!"
سینا بانگ برداشت: "محشره! نسل جدید و قدیم، ایده‌آلیست و پراگماتیست بهم می‌رسن! اون یکی شیفته انقلابیگری گوارا که جمالش شاهدی بر کمالشه ... این یکی مجذوب سکس اپیلش که سرکشی چه رو به توان صد می‌رسونه!"
الهه آهی کشید: "همون وهم‌ها ... چه ملال‌آور!"
سینا گفت: "تعجبی نداره ... مرداب اختناق جز وهم عمل نمیاره."
صدای شهرام بلند شد که با چمدان بسته به سالن برگشته و کناری

ایستاده بود: "چه راحت نسل ما رو فراموش می‌کنین ... ما که هم شلاق ایدآلیسم شماها روخوردیم و هم سیلی پراگماتیسم سام‌ها رو.

چشم به سینا دوخت: "اما شما که از اونجا کندین به کجا رسیدین؟ حاصل‌تون چیه؟"

الهه دست بهم کوفت: "اوف! نقاش گمنام با همه جفنگیش یه حرف حساب زد!"

سینا گفت: "نظرتون رو به اتفاق محشری که تو راهه جلب می‌کنم: ملاقات نمایندگان سه نسل ایرانی تو یه مهمونی باشکوه! افتخار دارم اعلام کنم که این رویداد مهم درمکانی با معنا اتفاق می‌افته!"

مهسا و سام فریاد شادی سر دادند

سینا بعد از مکثی که بر کنجکاوی جمع افزود گفت: "نوفل لوشاتو! که تاریخ زندگی ما نسل‌های انقلابی و ضد انقلابی اونجا ورق خورد."

شهرام شانه بالا انداخت: "پوف!"

سینا ادامه داد: "خسرو فراهانی، آرشیتکت آوانگارد، عاشق ناکام الهه، نزول امام خمینی رو به نوفل لوشاتو مظهر پیوند سنت و مدرنیته می‌دید. پس یه خونه درندشت اونجا خرید، بازسازیش کرد و اسمشو گذاشت سرای ملکه سبا."

رو به الهه کرد:"گوشه چشمی به کوچه صبا و ملکه‌ای که تو باشی!"

زن زهرخندی زد: "چه مجلس بدیعی بشه مهمونی ما ... یه قصه پرماجرا اما بی قهرمان! فیلمی که همه توش سیاهی لشکرن!"

صدای مهسا بلند شد: "یه سوژه عالی واسه فیلمم! مرسی مامی!"

سینا دنبال گرفت: "حاضرم سناریوش رو بنویسم."

گیتا بی اختیار گفت: "به جای رمانی که نوشته نشد!" و بلافاصله از گفتن این حرف پشیمان شد.

سام چشمکی به مهسا زد: "جون می‌ده واسه جایزه!"

صدای خنده شهرام بلندشد: "دقیقاً! ادبیات بره به جهنم... خدای

شما جوونای پراگماتیست تصویره و تصویر!"
الهه گفت:"نظریه جذابیه!"
شهرام که چشم به مهسا دوخته بود حرف از سرگرفت: "راستی برای شماها چه کاری ساده‌تر از سینما؟ اولاً اوضاع اون‌قدر سوررئالیستیه که همه چی خود به خود سوژه‌س ... دوماً از بس دروغ شنیدیم و دروغ تحویل دادیم هرکدوممون یه پا هنرپیشه‌ایم ... هم سوژه دم دسته و هم هنرپیشه مهیا!"
رو به مهسا حرفش را تمام کرد: "عذر می‌خوام، قصد توهین به ساحت مادموازل رو نداشتم!"
الهه صدا بالا برد: "آفرین! چه بازیگر درجه یکی! تو همه نقش‌ها می‌درخشی، هنرمند ناکام، قربانی ستم دو نسل، عاشق دروغی!"
شهرام به تندی جواب داد: "و تو الحق نقش معشوق رو خوب بازی می‌کنی!"
سینا از جا برخاست: "پس همه‌چی برای ساختن یه فیلم محشر آماده‌س. چطوره پیش از خداحافظی شرابی به سلامتی دست‌اندرکارها بنوشیم؟"
مهسا و سام هم‌صدا بلهٔ شادی سردادند و دنبال گیتا روانه آشپزخانه شدند تا سینی‌های مزه و نوشابه را آماده کنند.
فردای آن شب، گیتا بعد از پایان روزکار با سینا قرار دیدار داشت. صحبت‌شان به حرف‌های شب پیش دربارهٔ مهمانی کشیده شد.
زن نتوانست از بیان پرسشی که آزارش می‌داد خودداری کند: "این مهمونی یه جور انتقام‌گیری نیست؟"
"محشره! برگشتیم به برداشت تو از کنت دو مونت کریستو!"
"می‌تونی حرفم رو جدی بگیری؟"
"البته عزیزم! به نظرم برداشت‌ات واقعاً هیجان انگیزه ... ولی قبول کن روایت ما کمی پیچیده‌تره ... هر قهرمانی فقط قربانی خیانت خودشه! و برعکس قهرمان دوماً، شخصیت‌های ما بعد از سال‌ها با چهرهٔ واقعی‌شون ظاهر می‌شن ... اون صورتی که زمان بعد از برداشتن

نقاب‌های جور و واجورمون باقی می‌ذاره، اون صورت برهنه!"
خم شد و بوسه‌ای از لبان گیتا ربود: "باور کن عزیز دلم! یه بالماسکه بی نظیر تو راهه! بالماسکهٔ بی نقاب!"

۳۰

در گردش‌های دونفری، سینا از دعـوتی‌هـای جشـن مـی‌گفـت و از خاطرات گذشته‌اش با آن‌ها. و گیتا بیشتر و بیشتر در خاطرات گذشته غوطه‌ور می‌شد. یادآوری‌های الهه هم بیش از پیش به این حـال دامـن می‌زد. زن مکرر از سینا می‌خواست داستان‌های آن سـال‌هـا را تعریـف کند. مهسا و سام با علاقه به این حکایت‌ها گوش سپردند.

به زودی نوبت گیتا رسید کـه از خـاطراتش بگویـد. در نقـل‌هـایش جانب احتیاط از دست نمی‌نهاد تا از یادهای رنجبـار سـخن بـه میـان نیاید. با این‌همه چندبار نام خواهر برده شد. در این حال حـواس گیتـا به سام بود، اما آرامشی که در چهرهٔ مرد جوان می‌دید خیالش را کم و بیش آسوده می‌کرد. وقتی الهـه از سـام خواسـت از پـدربزرگ و مـادر بزرگش بگوید، مرد جوان در حرف‌هایش اشاره‌ای به مادر و پـدر خـود نکرد.

سام برای گیتا، همراه زعفران و زیره و پسته، نامه‌ای از جانـب مـادر آورده بود. در آن جز احوالپرسی و رساندن سلام پدر حرفی نبود. طـی سال‌ها، گیتا، هر عید، صـدای پـدر را بـا همـان لحـن مقتـدر از تلفـن می‌شنید و نظم باغچه وجین شده، ردیف مرتب کتاب‌ها در کتابخانه، و میز شام سر ساعت چیده پیش چشمش می‌آمد. حرف‌های سام چیزی به این تصویرها نمی‌افزود. به نظر گیتا می‌رسید پسر جوان هـیچ میـل ندارد با او درباره زندگی خانواده گفت‌وگو کند.

هلن اما با این فکر گیتا موافق نبـود. بـه نظـر او پسـر جـوان سـعی می‌کرد وارد این گفت و گو نشود تا خاطرات دردناکی را که گیتـا از آن گریخته بود زنده نکند. حرفش را با پرسشی تکمیل کرده بود:"چرا بـه

سرعت دعوت را پذیرفت و نزد شما شتافت؟ فکر نمی‌کنید او هم به جست و جوی گذشته آمده باشد؟"

هربار که اصرار الهه برای نقل خاطرات کوچهٔ صبا سبب آشفتگی گیتا می‌شد، یادآوری این حرف هلن، کمکش می‌کرد آرامشش را حفظ کند. الهه که معالجاتش پیشرفت خوبی داشت و حالش هر روز بهتر به نظر می‌رسید، مفتون روایت‌های گیتا شده بود. یک شب اعلام کرد می‌خواهد رمانی بنویسد و نامش را "*رویاهای گیتا*" بگذارد.

مهسا گفت: "چه تیتر قشنگی"

شهرام وارد صحبت شد: "کی نوشتنش رو شروع می‌کنی؟ شاید از این گردش‌های خسته‌کننده توی خاطرات گذشته نجات پیدا کنیم!"

"باید جشن برگزار بشه عزیز! که بیشتر الهام بگیرم."

شهرام لبخند زد: "می‌ترسم مجبور بشی اسم رمانت رو عوض کنی و بگذاری کابوس‌های گیتا" و بلافاصله رو به گیتا کرد: "عذر می‌خوام. فقط یه بازی با کلماته."

این شوخی الهه را نیازرد، اما تاثیری معذب‌کننده بر گیتا نهاد. می‌کوشید اضطراب‌هایش را مهار کند، اما به مرور خوابش آشفته شده بود. هر آنچه در نقل‌های دورمیز به سکوت برگزار می‌شد در رختخواب به سراغش می‌آمد. چند هفته‌ای مرخصی گرفته بود و بیش از پیش با سینا وقت می‌گذراند، اما دیگر گفت و گویشان عمقی نداشت. مرد از همه چیز حرف می‌زد، خاصه از جشنی که در حال تدارکش بودند، اما از احوال درونیش چیزی نمی‌گفت و از حال گیتا نمی‌پرسید.

در خلوت عشق‌بازی هم رفتار سینا پاک عوض شده بود. با چشم‌های باز و کلماتی بریده بریده و نامفهوم پیوسته نجوا می‌کرد. گیتا عشق‌ورزی‌های پیشین‌اش را با سینا در نظر می‌آورد، آن گفت‌وگوهای خاموش را که از ورای تصویر الهه میانشان جاری می‌شد. به آمدن زن و بهم ریختن این حس و حال فکر می‌کرد و به رمان از دست رفتهٔ سینا.

پیچیده در کلاف سردرگم این فکر و خیال‌ها، گاه این اندیشه در

ذهن گیتا قوت می‌گرفت که سینا برای بازنویسی رمانش اراده کرده شخصیت‌های آن را احضار کند. احساس می‌کرد دارد در چشم مرد تبدیل به یکی از شخصیت‌های این طرح می‌شود. به آنی حال تماشاگری را داشت که به نمایشی دعوت شده و غفلتاً درمی‌یابد موضوع نمایش در واقع زندگی خود اوست و به نظارهٔ عاقبت شومش نشسته است.

گیتا در این حال و هوا به سر می‌برد که روزی سینا شادمانانه خبر داد به کمک سام، دانشجوی انقلابی آن سال‌ها را یافته است. پسر نگفته بود او را می‌شناسد اما بعد از ناکامی سینا در پیدا کردنش بالاخره بروز داده بود که با دانشجوی سابق، که در سوئد زندگی می‌کرد، رابطه برقرار کرده است. با شنیدن این خبر، گیتا بی صبرانه منتظر فرارسیدن شب و فرصت گفت‌وگو با سام شد. این روزها، با زود رفتن شهرام، بساط شام کمتر طول می‌کشید و پسر ساعتی را در اتاق گیتا جلوی کامپیوتر می‌گذراند.

وقتی در اتاق را باز کرد سام را غرق فکر در برابر کامپیوتر خاموش یافت. با دیدن گیتا از جا بلند شد و زن سرخی تشویش را بر گونه‌هایش دید. صورتش که تازگی با زدن ریش جوان‌سال‌تر می‌نمود، به چشم گیتا حال کودکی گمشده را داشت. جلو رفت و دست عرق کردهٔ سام را در دست گرفت و بر پیشانی بلندش بوسه زد. پسر بی هیچ حرفی به نوازش‌های گیتا میدان می‌داد.

دقایقی بعد سام کامپیوتر را روشن کرد و گیتا را مقابل صفحهٔ گشوده تنها گذاشت.

۳۱

من و دفتر خاطرات کامپیوتریم

امروز اول زمستون هزار و سیصد و هفتاد و هفت، ۲۱ دسامبر ۱۹۹۸ میلادی سوییچ دفتر خاطرات کامپیوتریم رو می‌زنم. یه چیزی مثل وبلاگ که اونور آب‌ها مد شده، اما فقط برای خودم.

اسمش رو گذاشتم "دو دره"، چون جای حرف‌هایی هست که با گفتنش از گیر خودم خلاص می‌شم. حرفایی از سام سلیم. اهل نویسندگی نیستم ولی گاهی نوشتن چند کلمه یا چند خط، عجیب خالی یا پرم می‌کنه. با عوض شدن مودم این نوشته‌ها عوض می‌شن و از این عوض شدن خیلی حال می‌کنم. از چیزی که بیزارم احساس بیزاریه و گیردادن و گیرکردن تو خودم.

من، سام سلیم.

خدایی‌ش با اسمم کلی حال می‌کنم. وقتی پاسدارا گیر می‌دن می‌شم همنام پسر حضرت نوح سر سلسله پیغمبرا. به داف‌ها خودم رو سامی دورگه ایرانی - اروپایی معرفی می‌کنم. و گاهی که می‌خوام کلاسم رو به رخ بکشم می‌گم اسم جد رستم رو دارم. حقیقتش پدر بزرگم این اسم رو به عشق شاهنامه رو من گذاشته. بارها قصه‌های شاهنامه رو برام خونده و خوب همه قهرمان‌ها رو می‌شناسم.

اما سرنوشت من به نظرم بیشتر شبیه پسر نوحه. از بازمانده‌های یه کشتی شکسته در طوفانم که مامان و بابام جزو کاپیتان‌هاش بودن. عین حضرت نوح، مردم به حرفای اون‌ها هم گوش ندادن. اما اون‌ها از جانب خدا ماموریت نداشتن و قادر متعال به جای مجازات مردم نافرمون اونارو محکوم به مرگ کرد. این‌جوری شد که پدر و مادرم نه

فقط عمر نوح نکردن، بلکه تو جوونی از دنیا رفتن. و من که تنها یادگار زندگی کوتاه اونام از سه ماهگی با خانواده مادرم زندگی می‌کنم و اسم فامیلی بابابزرگم رو دارم.

مامان و بابام رو فقط توی عکس‌ها دیدم. تو آلبوم خونوادگی عکس‌های تکی‌شون فراوون پیدا می‌شه اما یکدونه عکس دونفره ندارن. حتی از ازدواج‌شون تو محضر. مراسم عروسی رو بورژوایی و زائد می‌دونستن. چند تا عکس دسته جمعی با دوستاشون دارن که همه با کلاه و کاپشن و شلوارهای گشاد عجیب به هم شبیهن. به زحمت می‌شه شناسایی‌شون کرد. گرچه من سال‌های سال دلم نمی‌خواست به هیچ کدوم از عکس‌هاشون نگاه کنم. هروقت بابا سلیم می‌خواست مخمو کار بگیره و سخنرانی راه بندازه فرار رو برقرار ترجیح می‌دادم.

اما از وقتی با چه‌گوارا آشنا شدم رفتم تو موود مامان و بابا.

به‌جز چه، عاشق کامپیوترم و مثل همهٔ اعضای کلوپ "No گیر" تا اِندش در جریان اینترنتم. از رقص و اسکی و ماشین سواری هم حال می‌کنم. هنوز تریپ‌لاو رو تجربه نکردم. از سریشم شدن و سوز و گداز بیزارم. فکر می‌کنم واسه عاشق شدن اول باید خودم رو بشناسم و دوست داشته باشم. ولی با داف‌های جذاب و چیز فهم میونه‌ام بد نیست.

وسط این قضایا درس هم خوب می‌خونم و با کتاب خوندن هم کلی حال می‌کنم. نه فقط موسیقی راک و پاپ و رپ دوست دارم بلکه موزیک کلاسیک هم گوش می‌دم هم ایرونی و هم خارجی. برخلاف همه دوستام از فوتبال خوشم نمیاد.

نتیجه منطقی: خلوتی سرم تو شبای مسابقه/ رضایت بابا سلیم و مامان مهری/ ضد حال خوردن دوستام!

دوم بهمن ۱۳۷۷

من یه تریپ مشترک با چه‌گوارا دارم. از بچگی روزها و روزها تو کتابخونه پدربزرگم پرسه زدم، اما چه از اونجا انقلابی بیرون اومد و من

بی خیال انقلاب.
مامان و بابای من چه‌های وطنی بودن و عاشق خلق و شورشی. اما من از این خلقی که می‌بینم حال نمی‌کنم و تصمیم ندارم فدای اون بشم.
چه رو به خاطر این خیلی دوست دارم که راه خودش رو رفت و نه راه هیچکس دیگه‌ای رو.
وقتی به فیدل نه گفت و از کوبا زد بیرون تو نامه به پدر و مادرش نوشت: "نبرد تنها راه اونهائیه که برای آزادی خود می‌جنگند."
آزادی خودم. راه من اینه. می‌خوام زندگی رو بشناسم. دنیارو بشناسم و بعد راهم رو انتخاب کنم.

اول اسفند ۱۳۷۷

دیروز به بابا سلیم اعلام کردم می‌خوام روز تولدم رو خودم انتخاب کنم.
باباسلیم سه ماهگی منو از مسئولای امور تحویل گرفته و با حساب کتابای پزشکی برام روز چهارده فروردین شناسنامه گرفته.
اما بی‌خیال شناسنامه! تصمیم دارم روز تولدم رو اول فروردین اعلام کنم. روز اول بهار و سال!
وقتی به باباسلیم گفتم زوم کرد رو صورتم و دو دقیقه میخ شد. بعد شروع کرد به مصاحبه. به جوابام دقیق گوش می‌داد. واسه اولین بار حس کردم تو موود همیم. البته اون از جمشید جم و زرتشت می‌گفت و من بیشتر تو حس تغییر و نو شدن زمین و زمان بودم که این روزها بدجوری تو فلسفه شم.
بالاخره اعلام کرد واسه اولین جشن تولد خودخواسته برام یه ماشین می‌خره! این یکی دیگه اِند عشق و حاله.
به مامان مهری گفتم. تا گفتم اشکش سرازیر شد. بعد از سی دقیقه گریه‌زاری بغلم کرد و گفت که مامان هما اول فروردین به دنیا آمده. گفت که هر سال تحویل از نبودنش حسابی غصه می‌خورن. به من

نگفته بودن که عیدم خراب نشه. گفت بعد از این عیدمون دوباره نوروز می‌شه!
مرسی مامان هما! مرسی واسه این کادوی خدا!

نوروز ۱۳۷۸

تحویل سال با عکسای مامان هما و بابا بهروز و خاله گیتای پاریسیم که ندیدمش/ اهدای سوییچ پژوی سبز کاکی (رنگی که عاشقشم)/ ماچ‌های آبدار مامان مهری/ خنده کمیاب بابا سلیم/ نصایح فراوان درباره احتیاط در رانندگی/ هشدار جدی در باره سوءاستفاده از ماشین ...
بعد باباسلیم ماشین رو افتتاح کرد و من کنار دستش به دور دور کردن تو خیابونا و تمرین واسه امتحان تصدیق. به عشق عصرای جمعه تو میدونای تهران!

۲۹/اردیبهشت ۱۳۷۸

تصدیق در جیب/ هیجان وحشتناک/ زنده باد حرکت!
اما واقعیت حقیقت رو عقب می‌رونه.
نتیجه منطقی: میخ شدن تو خونه. روزی دوازده ساعت خرخونی واسه کنکور.

۱۰ شهریور ۱۳۷۸

بالاخره رفتم خاوران.
مامان مهری به رانندگی من اطمینان نداره، اما واسه اینکه باهاش برم قبول کرد با ماشین من بریم. عادت به اصرار نداره اما از پارسال تو گوشم می‌خونه دلش می‌خواد من و باباسلیم سالگرد اعدامی‌های شصت و هفت همراش بریم خاوران. بابا سلیم علاقه‌ای نشون نمی‌ده. با جمعیت حال نمی‌کنه.
جمعیت گنده‌ای نبود، اما خلوت هم نبود. با چندتا از دختر و

پسرای هم‌فاز شماره تلفن رد و بدل کردیم. دو تا دسته گل برده بودیم از طرف ما و خانواده بابا بهروز که تهرون نیستن.

تقریباً مطمئنیم که گور مامان و بابا اونجا نیست، اما خاوران یه جورایی گورستون همهٔ اعدامیائیه که قبرشون معلوم نیست.

مامان مهری گریه می‌کرد. بهش گفتم جسد چه هم سی سال بی‌نام و نشون موند ولی بالاخره مکانش آشکار شد. اشکاش رو پاک کرد و ماچم کرد. اما موقع برگشتن دوباره تموم راه تو ماشین گریه کرد.

بیست و هفت شهریور ۱۳۷۸

قبولی تو رشتهٔ مهندسی الکترونیک/ موج تبریک و تسلیت دوستام/ اکثرا تو شش و بش گریز از مملکت. فقط بهمن و خشایار که دوساله دانشجوشدن فکر موندن دارن اونم نه برای علم و دانش بلکه از عشق وطن!

باباسلیم می‌گه شک جدی داره اینجا دانشگاه رفتن انتخاب درستی باشه! قرار شد بریم دنبال معافی سام سلیم فرزند واحد و کفیل آینده که بعدش بزنم به چاک و خیال خانواده رو راحت کنم!

اما مامان مهری به شدت با قبولی من حال می‌کنه. به همون شدت هم با خارج رفتنم مخالفه. اشاره زد به رفتن خاله گیتا و برنگشتنش و قطع الفت. باباسلیم اخم کرد که خانم! هما که اونجور رفت و گیتا هم اگه می‌موند از افسردگی نابود می‌شد. مامان مهری هم زد به گریه.

برای خروج از فضای تیره و تار جشن قبولی پیشنهاد کردم دوری تو شهر بزنیم. باباسلیم که روز به‌روز باحال‌تر میشه اوکی داد. برخلاف همیشه از رانندگیم ایراد نگرفت.

چه سال خدایی! من و ماشین و دوست‌هام و خیابونای پایتخت!

دهم مهر ۱۳۷۸

شب و روز تو مود مامان و بابا/ پرسه تو کتابخونه بابا سلیم/ زدن مخ

مامان بزرگ‌ها و بابا بزرگ‌ها/ ورق زدن آلبومای عکس خانوادگی/ چت طولانی با بچه‌های خاوران.

دیروز باباسلیم دو تا دفتر مامان هما و خاله گیتا رو بهم داد. یادداشت/ شعر و خوندنی/ بریده روزنامه و مجله.

عجیب فرق داره این دو تا دفترا! همون‌قدر که تریپ مامان هما و خاله گیتا توی عکس‌ها فرق داره. مامان اخمو و هوشیاره، اما خاله گیتا همیشه انگار خوابش می‌یاد یا تازه از خواب بیدار شده.

دفتر مامان هما بیشتر مثل یه دفتر خاطراته. شرح فکراش و کاراش. دفتر خاله گیتا پر از شعره و حرف از دوستاش و از قصه‌هایی که خونده.

پانزدهم مهر ۱۳۷۸

یه تریپ مشترک بین مامان و خاله گیتا پیدا کردم. چرم ساغری بالزاک. تو کتابخونه باباسلیم پیداش کردم. پر از بحث‌های تومخی کشداره، اما خدائیش بد نبود.

به نظر مامان هما، تئودورا همون سرمایه‌داری حریص و خودپرسته، که رافائل هم شریکشه و هم قربانیش. خاله گیتا واسه عشق از دست رفته پولین و رافائل دل می‌سوزونه.

اما من بیشتر با بالزاک موافقم که آخر داستان می‌گه تئودورا خود زندگیه. با همهٔ بازی‌ها و بی‌رحمی‌هاش!

نتیجه منطقی: اونی برنده‌س که نذاره احساسات چشمشو به واقعیت ببنده.

نوزدهم مهر ۱۳۷۸

دیشب روضه خونی هفتگی‌مون بود.

بهروز و علی می‌نالیدن که دور دور کردن میدون‌ها و ترمز سر چهار راه و شماره دادن به دخترا تکراری شده.

خشایار می‌گفت کل‌کل کردن با پاسدارا سر این چیزا افتخاری

نداره. حسابی تو نخ چه گوارا و شورشه. معتقده افکار لیبرالی من، چه رو ضایع می‌کنه.

من از ضد حال کوبا می‌گم و از شکست نسل مامان بابا. بهمن هم فوری می‌ره بالای منبر که زنده‌باد اصلاح‌طلبی!

دوباره بحث و بحث ... و همون حس همیشگی، بن بست!

بهروز و علی پیشنهاد دادن علف بکشیم اما من با دود و دم حال نمی‌کنم. با همون آبجو استارت زدیم و کله‌ها که گرم شد همگی مست و پاتیل شیرجه رفتیم تو مهمونی یکی از دوستای علی.

همون ساعت اول خشایار زد به چاک و بهمن هم دنبالش. منم مخ یه دافی جذاب رو زدم و تا ته‌اش سالسا رقصیدم و همهٔ گیر و گرفتاری‌های دنیا رو پیچوندم.

ششم آبان ۱۳۷۸

اوِردوز بهروز/ همه تو شوک/ ضد حال مطلق!

رفتم سلمونی موهامو زدم.

مامان مهری قربونم می‌رفت که آقا شدم! نگفتم واسه عزاس! بهروز از هرچی روضه و کفنه بیزار بود.

از فکرش قاطی می‌کنم ... تو مود هیچی نیستم.

به هوای درسا سرمو کردم تو لاک خودم و زندانی اتاق. از قبر که بدتر نیست.

نهم آبان ۱۳۷۸

بهمن می‌گه تنها راه اصلاحاته، اما خشایار معتقده می‌شه از گذشته درس گرفت و یه انقلاب واقعی راه انداخت.

من هیچ جوابی ندارم. بحث هم دیگه حال نمی‌ده. دلم می‌خواد از این فضا بزنم بیرون.

چه دوچرخه شو برداشت و رفت به کشف آمریکای لاتین. من می‌خوام برم به کشف دنیا شاید راه خودمو پیدا کنم.

شانزده آبان ۱۳۷۸

لو رفتن قضایای بهروز/ گیر سه پیچ مامان مهری و باباسلیم/ آمار همه دوستام و پدر و مادراشونو می‌خوان.

دیروز مامان مهری گیر داده بود بهش بگم چطوری با بهمن و خشایار که از من بزرگترن آشنا شدم.

بحث و نصیحت و بحث/ سخنرانی‌های طولانی باباسلیم/ اشک‌های مامان مهری/ آخر ضد حال!

به سرم زد ببرمشون تو "دو دره" شاید این‌جوری آتش بس برقرار بشه، اما مطمئن نیستم این حرفا بیشتر حالشونو نگیره و اوضاع رو از این بدتر نکنه.

بذار "دودره" سنگر و پناهگاهم باقی بمونه

۳۲

فکر اینکه سام به حریم خلوت خود راهش داده بود دل گیتا را از مهر پر کرد. پسر جوان دست پیش آورده بود تا از ورطهٔ جدایی عبورش دهد و به خانواده بازش گرداند. در دلش این میل جوشید که دست او را بفشارد.

سام روی کاناپهٔ سالن نشسته بود و چشم به تصاویر بی‌صدای تلویزیون داشت. گیتا کنارش نشست و به رقص ماهی‌های رنگارنگ میان جلبک‌ها و خزه‌ها نگاه کرد. دمی بعد، دریای بی موج بود و ساحل صخره‌ای و متروک. و دوباره ته دریا و باله شاد ماهی‌ها.

گیتا دست روی بازوی پسر گذاشت و آهسته گفت: "ته دریا همیشه برام ترسناکه!"

"یه دنیای دیگه‌ست. شاید اون ته‌ته‌ها گنج باشه. شاید هم کشتی نوح!"

گیتا دست عرق کرده پسر را گرفت: "دوست داری تو شب پاریس پرسه‌ای بزنیم؟"

دقایقی بعد در ماشین بودند، به چرخ زدن در خیابان‌ها. از میدان باستیل به شهرداری پاریس و از آنجا به میدان شاتله و تویلری و کنکورد.

چراغانی‌های رنگارنگ شکوهی شادمان به بناهای قدیمی می‌بخشید و جشنی بزرگ را نوید می‌داد. به میدان کنکورد رسیدند. گیتا برای ماشین جای پارک نزدیک چرخ فلک عظیمی یافت که به مناسبت سال دو هزار برپا شده بود.

سام گفت هربار در پاریس گردش می‌کند انگار باباسلیم با اوست. از

شادی آشکار پدربزرگ گفت وقتی گیتا از پسر دعوت کرده بود به فرانسه برود، از امید او که این سفر راهگشا باشد برای ادامه تحصیل نوه‌اش در خارج، و از موافقت خاموش مادربزرگ که اوِر دوز بهروز به هراسش افکنده بود.

گیتا از او پرسید آیا دلش می‌خواهد ایران را ترک کند؟ و سام از شک‌هایش گفت و از ترس‌ها و نگرانیش برای تنهایی پدر و مادربزرگ. گیتا تعریف کرد چگونه سال‌ها پیش، پا گذاشتن سام نوزاد به خانهٔ سرد و خالی خانواده سلیم، کمکش کرده بود تا نگرانی از تنهایی پدر و مادر را کنار بگذارد و راهی فرانسه شود. از هما گفت و از نوزاد خودش که مرده به دنیا آمده بود و از تلاش ناکام خویش در گریز از گذشته، تا باز آمدن این‌بار پسر، که می‌توانست به پایان گرفتن این فرار بی‌سرانجام یاری کند.

با شنیدن این حرف لبخندی بر لب سام نقش بست. گیتا به ساعتش نگاهی انداخت. دو ساعت و اندی به حرف زدن از گذشته‌ها نشسته بودند. حالا، در چشم‌انداز وسیع میدان تاریک و خالی، احاطه در مجسمه‌ها، چرخ‌وفلک عظیم در چشم گیتا به گردونهٔ زمان می‌مانست که از چرخش بازایستاده بود.

یکباره دلش خواست هرچه زودتر از آنجا دور شود و همراه سام به جایی گرمابخش برود.

از پسر جوان پرسید: "با شراب چطوری؟"

سام شادمانانه کافه باری را پیشنهاد کرد که شبی با شهرام و سینا به آنجا رفته بود.

فضای بار وسیع و خوشایند بود. میزهای کوتاه و مبل‌های چرمی بزرگ با دیوارک‌های شیشه‌ای و فلزی از هم جدا می‌شدند. دورتر پیست رقص به چشم می‌خورد. نور پیست که دمادم رنگ عوض می‌کرد مثل رنگین کمانی در فضای نیمه تاریک میزها منعکس می‌شد.

نشستند. بعد از آنکه گارسون شراب سفارشی را آورد، لمیده بر مبل

و جرعه‌نوشان، پیست را تماشا می‌کردند. گیتا که ذهنش هنوز در گذشته پرسه می‌زد احساس می‌کرد دارد فیلمی را بر پرده سینما تماشا می‌کند که ماجرایش جایی دور و غریبه می‌گذرد.

گرمای گیج‌کننده شراب این حس را چنان بر او چیره ساخت که وقتی شهرام را همراه زنی در حال رفتن به سوی پیست دید لحظاتی طول کشید تا حیرت در ذهنش جوانه بزند.

از سام که با لبخندی محو به این صحنه نگاه می‌کرد پرسید: "این شهرام نیست؟"

"خودشه!"

"و این خانم؟"

سام با خونسردی گفت: "از رقصیدنشون معلومه خیلی آشنان!"

گیتا به شهرام نگاه کرد که زن جوان را عاشقانه در آغوش گرفته بود. حالا دلیل تغییر رفتار او با الهه برایش روشن می‌شد.

زمزمه کرد: "اگه به گوش الهه برسه؟"

"خاله گیتا! فکر می‌کردم واسه سورپرایز آماده‌تر از این باشین!"

"الهه می‌خواد شهرام رو شب جشن به دوست‌هاش معرفی کنه ... اگه شهرام با این زن بیاد چی می‌شه؟"

"خداییش با حالی این مهمونی به همینه ... همه چیش غیر قابل پیش بینی‌یه."

سام چشمکی زد و افزود: "شاید شانس مهسا بزنه یه سناریوی خفن واسه فیلمش جور بشه ... چه حالی بکنه دستیارش که من باشم!"

مدتی بود با مهسا تمرین می‌کرد که با دو دوربین از مهمانی فیلم بگیرند.

بعد از دقایقی سکوت گیتا گفت: "حق داری سامی جونم! هرکدوم از ما باید رل خودمون رو انتخاب کنیم."

"خاله جونم! یادتون رفت حرف الهه رو؟ ما همه سیاهی لشکریم!"

"من اما تصمیم دارم نقشم رو خودم تعیین کنم."

این بار نوبت سام بود که با حیرت به گیتا نگاه کند که از مخمـوری به در آمده و صاف روی مبل نشسته بود.

۳۳

گیتا لیست مهمان‌ها را مثل درس امتحان حفظ بود. هرچـه مطلـب و خبر و عکس درباره تک‌تک آن‌ها در اینترنت پیدا می‌شد جمع کـرده بود. به محض فکر کردن به مهمانی در ذهنش صفحه‌ای باز می‌شد و با چند کلیک روی لیست، صورت‌ها و حرکات پیش چشمش می‌آمد:

نگاه شاد شـاعر معـروف مقـیم آمریکـا کـه بـا شـعرهای غمگـین و نوستالژیکش جور درنمی‌آمد؛ عینک شیشه کلفت آهنگساز مقیم ویـن؛ چانه جلو آمدهٔ استاد دانشگاه در آلمان که قیافه‌ای حق به جانب بـه او می‌داد؛ کلاه دوره‌دار کارگردان تئاتر در سوئد که حالت کودکانهٔ صورت گرد و چاقش را بیشتر می‌کرد؛ سیگاری که انگار بنا بـود همیشـه لای انگشت‌های قلمی نمایشنامه‌نویس مقیم هلند دود کند؛ موهای سـیاه و پرپشت روزنامه‌نگار ساکن کانادا متضاد با چین‌هـای عمیـق پیشـانی و دور دهانش؛ چشم‌های شوخ نویسنده ساکن پاریس و موهای دم اسبی منتقد ادبی که در پاریس تاکسی می‌راند.

این دو نفر را وقت اولین ملاقاتش با سینا دیـده بـود. حـالا بـا فکـر کردن به آن روز برمی‌گشت به همهمه سالن کوچک زیرزمین کلیسای محله چینی‌ها و تلالطـم‌هـای حسـی‌اش. بوسـه هلـن را روی گونـه‌اش احساس می‌کرد و صدای اطمینان‌بخش او را می‌شنید: "پیش به سوی ماجرا!"

به هلن نوشته بود: "هیچ فکر نمی‌کردم این ماجرا زندگیم را عـوض کند!"

زن که تازه از آخرین سفرش بازگشته بود، بـه گیتـا پیشـنهاد کـرد دیدار تازه کنند. اولین بار بود چنین پیشنهادی می‌کرد.

در یکی از کافه‌های پاریس، از آن کافه‌ها که بوی قهوه و فضای گرمشان در روزهای زمستانی دلپذیرتر می‌شود، ملاقات کردند. روز داشت به پایان می‌رسید. همچنان که با هم حرف می‌زدند از پنجره به میدان پر جنب و جوش می‌نگریستند. ضرب‌آهنگ تب‌آلود روزهای نزدیک به جشن‌های آخر سال در فضا جاری بود.

هلن گفت: "وقتی این حال و هوا مسلطه دلم می‌خواد فرار کنم و از اینجا دور بشم". از برنامه‌هایی حرف زد که داشت زندگیش را تغییر می‌داد. توانسته بود همسرش را قانع کند مسئولیت طرح توسعه‌ای را که شرکت متبوعش در آفریقا پیش برده بود بپذیرد. به زودی پاریس را ترک می‌کردند. تصمیم گرفته بود به سفرهایش نقطه پایان بگذارد. اما فعلاً می‌خواست جایی دیگر مستقر شود تا روزی که بتواند با دلی آرام‌تر به زندگی در پاریس، شهری که بس دوست می‌داشت، برگردد.

شنیدن این حرف‌ها از هلن، که ناگاه گردی از غم بر چهره‌اش نشسته بود، گیتا را به اندیشهٔ پسر از دست رفتهٔ زن برد. با خود فکر کرد چه کسی سنگ مزار او را می‌شوید؛ چه کسی به گل و سبزه روی گور آب می‌دهد؟

طولی نکشید که پاسخش را لابه‌لای حرف‌های هلن یافت. زن از گرفتاری‌های چمدان بستن برای سفر پیش رو گفت. از بار سنگین نفرت داشت. میان حرف‌هایش اشاره کرد که خاکستر سبک فرزندش را همه جا با خود می‌برد. با لبخندی محو افزود: "پیکاسو حق داشت بگه مرده‌هامون با ما پیر می‌شن. اما خاکسترکه می‌شن همونجوری باقی می‌مومن!"

گیتا جرئت کرد دست زن را در دست بگیرد. لحظه‌ای به تماشای میدان ماندند. شب فرا رسیده و نور صورتی و بنفش چراغانی‌ها جلوه‌گری آغاز کرده بود. گوشه‌ای از میدان، جلوی کامیون سفید "رستوران قلب‌ها" که برای فقرا غذا توزیع می‌کرد، صف طویلی تشکیل شده بود.

هلن سکوت را شکست: "گرسنگی منطق زمانی خودش رو داره،

زمان طبیعی، همیشه جلوتراز ساعت!"

گیتا فکر کرد وقتش است هدیه‌ای را که برای هلن آورده بود به او بدهد. دستبندی نقره با نگین‌های فیروزه. یادگاری از خواهرش. جزو چند زینتی بود که از ایران با خود آورده بود.

"بعد از آمدن سام بالاخره جرئت کردم جعبه‌ای رو که یادگارهارو توی اون نگه می‌دارم باز کنم."

هلن دستبند را به دست کرد. گفت که آن را دوست دارد و گیتا را بوسید. از او پرسید آیا در مهمانی الهه جواهرهای یادگاریش را زینت‌بخش سر و لباسش خواهد کرد؟ گیتا فرصت یافت از اضطراب‌هایی بگوید که گیج سر و آشفته‌اش می‌کرد.

هلن که در سکوت به حرف‌های گیتا گوش سپرده بود، پیش از خداحافظی گفت:"این جشن به نظرم مثل اون مهمونی‌های رویایی می‌یاد که از پشت پنجره تماشا می‌کردین. چه خوبه روی شادی شرط ببندین تا اینکه به اتفاق‌های ناگوار فکر کنین."

روزهای بعد، گیتا هر بار که به جشن فکر می‌کرد با خود می‌گفت که عاقبت به آنسوی پنجره عبور کرده است.

اینک مصمم شده بود راهی را که ماجراها پیش پایش گذاشته بودند بی هیچ چون و چرا برود. به خود می‌گفت تنها کار درست غلبه بر ترس‌هایش است، تا شاید بتواند خویشتن خویش را دریابد.

۳۴

تدارک جشن بی‌هیچ مشکلی پیش می‌رفت. اکثر مهمان‌هایی که از راه دور می‌آمدند شب پیش از جشن می‌رسیدند و دو سه روزی بعد از مهمانی بازمی‌گشتند. بعضی‌شان در منزل صاحبخانه اقامت می‌کردند. بعضی دیگر در هتلی نه چندان دور اتاق گرفته بودند و بنا بود شب جشن مثل باقی مهمان‌ها ساعت شش بعد ظهر بیایند. متمول‌ترها در پرداخت مخارج جشن مشارکت داشتند.

خسرو فراهانی، صاحبخانه، چند روز زودتر آمد. کوچک اندام بود با حرکاتی چالاک، ادبی و کتابی حرف می‌زد. تلاش محسوسش برای سخن گفتن به فارسی فاخر، بی‌کاربرد کلمه‌های خارجی، حالتی پرمدعا به صحبتش می‌داد، اما خنده‌های پر و سر صدایش سبب شد همه خیلی زود با او خودمانی شوند.

یک روز عصر گیتا و سینا و مهسا همراه او به بازدید خانه رفتند. از بیرون، شاخه‌های سر برکشیده درخت‌ها از دیوار سنگی، مژده باغ می‌داد. بعد از گذشتن از در بزرگ چوبی، حوض بیضی با کاشی آبی جلوه می‌کرد، انگار خانه‌های قدیمی ایرانی. فراهانی آن‌ها را در ساختمان بزرگ دوطبقه چرخاند. در تالار بزرگ طبقهٔ همکف، ستون‌ها و رواق‌ها محوطه‌هایی می‌ساخت که مبلمان و تزئیناتشان با دو رنگ بنفش و کهربایی متمایز می‌شد.

طبقه دوم دوازده اتاق داشت با پنجره‌های بزرگ رو به باغ. هر اتاق را به اسم یک سنگ قیمتی نامیده بودند. سینا به خنده گفت: "گوشه و کنار قصر رو خوب بگردیم شاید سنگ‌های قیمتی رو که از کاروان ملکه سبا باقی مونده پیدا کنیم". به سخره از خسرو فراهانی احوال

روح سلیمان را پرسید که گویا در کالبد او حلول کرده بود.

فراهانی که خنده‌های بلندش حرف‌های سینا را همراهی می‌کرد بعد از بازدید ساختمان به آن‌ها پیشنهاد کرد در آشپزخانه قهوه بنوشند. مهسا که از گوشه و کنار فیلم گرفته بود تکرار می‌کرد: "چه خونهٔ خفنی!" و فراهانی هربار مودبانه تشکر می‌کرد.

سینا گفت: "چیزی از قصر کم نداره!" و اضافه کرد: "بعد از سال‌ها، الههٔ عشق، ملکه سبا، به قلمروی سلیمان، صاحب گنج خرد و دانای ازلی روح بشر قدم رنجه می‌کنه!"

فراهانی بعد از خنده بلندی جواب داد: "حرف داهیانه‌ایست جناب سینا رازی! از همه جهات! تانیا هم تا حالا به این خونه نیامده!"

معلوم شد تانیای سی و سه ساله که قرار بود به مهمانی بیاید همسر تازهٔ اوست که سال پیش در مسکو ملاقات کرده. بعد از تعریف ماجرا فراهانی خنده پر سر و صدایی کرد و به سینا گفت: "بله جناب! از اقتدار الههٔ سیاه مو و سیاه جامه که با یک اشاره به فرمانش بودیم رسیدیم به صنم سپیدروی زرین مو که سخت به فرمانه!"

سینا گفت: "اینم آخر و عاقبت خرد سلیمان!" و با لحنی شوخ رو به جمع افزود: "عاقبت تانیای جوون و زیبا کشمکش شرق و غرب رو در روح حساس هنرمند پایان داد!"

سر تکان داد: "شاید هم تنها راه حل بحران هستی بازگشت به تن باشه!"

مهسا گفت: "باز همون سناریو! چه تکراری! خسته‌تون نمی‌کنه؟"

گیتا گفت: "وقتی اینجوری از تن صحبت می‌شه یه جسد بی روح جلو چشمم می‌یاد."

خسرو فراهانی که با لبخندی شوخ به مهسا خیره شده بود گفت: "در این لحظه شباهت غریبی به الهه اون سال‌ها دارین. اما الهه به دوربین عکاسی و فیلمبرداری دست نمی‌زد. می‌گفت نمی‌خواد از سحر کلمات آزاد بشه! موهاش کوتاه نبود و شلوار نمی‌پوشید ... چه درخشش خیره‌کننده‌ای داشت زیبایی مهتابی‌ش تو پیرهن‌های بلند

سیاه!"
صدای خنده سینا برخاست: "خدا رو شکر معمار درجه یکی هستی! اگر قلم به دست بودی الهاماتت از الهه شعرهای درجه دویی می‌شد درخور سطل آشغال!"
مهسا به معمار که با سرخوشی لبخند می‌زد گفت: "دوربینو برای دیدن دنیا با یه چشم دیگه می‌خوام! یه چشم سوم که کمکم کنه از جادو جنبل بزنم بیرون! شلوار می‌پوشم که پاهام کاملاً آزاد باشه!"
خسرو فراهانی چشمک شوخی زد: "عزیزم ! دختر خانم! بیرون خبر تازه‌ای نیست آن‌طورها!"
مهسا بلافاصله جواب داد: "اما خداییش به گشتنش می‌ارزه!"
سینا گفت: "اگه خوب نگاه نکنیم با هزارچشم اضافی هم نمی‌بینیم!"
گیتا گفت: "مگه همیشه جرئت دیدن واقعیت رو داریم؟"
فراهانی گفت: "چه وسوسه‌ای! این‌همه اصرار دارین چی رو ببینین؟"
رو به سینا ادامه داد: "هنوز نرسیدی به این که همه چی بازی‌یه؟ چقدر ممنونم از الهه که این حقیقت رو به من فهموند!"
گیتا پرسید: "چطور؟"
سینا جواب داد: "چون نقش خدایی‌اش رو کامل بازی کرد. مگر نه؟"
خسرو فراهانی گفت: "دقیقاً! وقتی پوچی مطلق عشق رو کاملاً درک کنی چی باقی می‌مونه؟ لذت بازی برای لذت. آزادی واقعی!"
مهسا رو به سینا گفت: "وای عمو ! یه هنرپیشه درجه یک برای فیلمم پیدا کردم!"

۳۵

آن شب گیتا خواب دید همراه عده‌ای در بیابانی راه می‌رود. باد می‌آمد و با آنکه روز بود و هوا روشن، دور و برش را خوب نمی‌دید. صورت همراهانش هم پیدا نبود. تنها می‌دانست که آن‌ها را می‌شناسد. از دور فریاد کودکانه‌ای صدایش می‌زد. باد از چند سو صدا را می‌آورد. هرچه می‌کرد نمی‌توانست جهتش را پیدا کند. از همراه‌ها می‌پرسید اما هیچکس جز او صدا را نمی‌شنید. از خواب پرید و دیگر خوابش نبرد.

وقتی خوابش را برای سینا تعریف کرد، مرد گفت: "هیهات از این بیابان وین راه بی‌نهایت! خدا عاقبتمون رو به خیر کنه. این مهمانی همه‌مون رو شاعر کرده!"

اشارهٔ سینا به ستایش‌های بیش از پیش مبالغه‌آمیز الهه درباره جشن بود که هربار سخره‌های شهرام را در پی داشت. اما الهه دیگر مثل سابق به او جواب‌های دندان‌شکن نمی‌داد. برعکس، حرف‌های شیرین می‌زد و از شور و شوقش برای معرفی مرد جوان به دوستان قدیمش می‌گفت.

گیتا به لبخند فاتحانه شهرام و لب و لوچه آویزان مهسا و برق تمسخر در چشم‌های سینا نگاه می‌کرد و با نگرانی از خود می‌پرسید آیا بهتر نیست آنچه را به چشم دیده بود به الهه بگوید. اما توانایی این کار را در خود نمی‌دید. نه تنها از قرار گرفتن در چنین موقعیت‌هایی بیزار بود بلکه وحشت داشت فاشگویی‌اش کشمکشی به راه بیندازد که برنامهٔ جشن را به هم بریزد. به‌علاوه به خود می‌گفت تغییر رفتار شهرام حتماً الهه را متوجه کرده که دل مرد جای دیگری است.

بالاخره تصمیم گرفت نظر سینا را بپرسد.

مرد بعد از شنیدن حرف‌های گیتا گفت:"چرا فکر می‌کنی الهه دنبال دونستن حقیقته؟ چرا فکر می‌کنی به صداقت عشق شهرام باور داره؟ اشتباه می‌کنی عزیزم! قادر مطلق از بنده‌هاش اطاعت می‌خواد نه عشق ... و اینکه بنده‌ها چی فکر می‌کنن اصلاً برای خدا اهمیتی نداره."

سینا سیگاری آتش زد و ادامه داد: "شوهرش رو یادته؟"

"اون آقای آروم و معقول رو می‌گی؟"

"یه بندهٔ کامل! اون‌قدر که نقش شوهر رو تا آخر بازی کنه. اگرچه الهه خیلی زود بعد از عروسی تو رختخواب راهش نمی‌داد!"

"پس مهسا چی؟ بچهٔ اون نیست؟"

"چه اهمیتی داره؟ مهسا بی غَل وغشه. درخشانه. برخلاف مادرش که روحش پر از تاریکی‌یه و دائم دروغ می‌گه، عین معشوق جوونش..."

سینا پکی به سیگارش زد و ادامه داد: "اوج ساده دلی‌یه تو این ماجرا دنبال عشق بگردی."

گیتا گفت: "شاید منظورت اینه که بهتره کلاً از عشق صرف نظرکنم؟"

"شاید! اگه می‌خوای خودت رو نجات بدی."

"مطمئنی منظور حرفت خودت نیستی؟"

سینا دست پیش آورد و دست گیتا را گرفت: "جالبه! همه چی رو به عشق ربط می‌دی و بعد هم وحشت می‌کنی. یه کم دقیق‌تر نگاه کن ... ته این ماجرا مضحکه ... خیالت راحت باشه عزیزم! به خاک سپردن وهم‌ها برای همه‌مون خوبه!"

۳۶

الهه گفت: "چه خوب که درخت و چمنی هست. وگرنه تماشای این کله‌های خاکستری از ملال می‌کشتمون ... وای که اون‌وقت‌ها چه جوون و سرفراز بودن!"

گیتا که تازه وارد اتاق شده بود به طرف زن رفت که کنار پنجرهٔ باز ایستاده بود. از آنجا می‌شد مهمان‌ها را دید که در باغ گردش می‌کردند. بعد از باران خورشید ساعتی درخشیده بود و عصر سرد زمستانی روشنایی دلپذیری داشت. سینا می‌گفت شب یلدایی بس مطبوع در پیش است. او از دیروز همراه خسرو فراهانی در کار استقبال از مهمانانی بود که از راه می‌رسیدند.

گیتا و الهه، همراه سام و مهسا، نزدیک ظهر در اتاق‌هاشان مستقر شده بودند. جای آن‌ها در خانهٔ کوچک دوطبقه‌ای پیش‌بینی شده بود که محل اقامت صاحبخانه محسوب می‌شد. راهرویی این آپارتمان را به سالن بزرگ محل جشن وصل می‌کرد. در دیگری هم برای ورود به آپارتمان وجود داشت تا ساکنان بتوانند بدون برخورد با مهمانان دیگر رفت و آمد کنند. مهسا و سام در طبقهٔ اول و گیتا و الهه و شهرام در طبقهٔ دوم جا گرفتند. بنا بود مرد جوان با دوستانش در ساعات پایانی عصر برسد.

"شاعر رو نگاه کن! مثل جوونی‌هاش آتشین مزاجه، عظمتی پیدا کرده، از همهٔ جهات!"

گیتا به طرفی که الهه نشان می‌داد نگاه کرد. مردی فربه و تنومند را دید که با همراهش گرم گفت‌وگو بود و با حرکات تند دست‌ها حرف‌هایش را همراهی می‌کرد. شاعر در مرکز توجه جمعی بود که او

را احاطه کرده بودند. گیتا فکر کرد به زودی همهٔ این نگاه‌ها به الهه دوخته خواهد شد.
"اون‌هم کارگردان معروفمون با کلاه همیشگی‌ش! بدون این شاپو چطور می‌تونستم بشناسمش!"
الهه آهی کشید و رو از پنجره برگرداند."یهو احساس کردم خالی شدم!" روی لبه تخت نشست.
"حتماً از هیجانه!"
"چه ساعتی باید حاضر باشم؟"
"ساعت هشت خوبه."
"شهرام می‌رسه تا اون وقت؟"
"حتماً تا اون ساعت ..."
الهه میان حرف گیتا دوید: "خدای من! وحشتناک احتیاج دارم کنارم باشه وقتی با اون‌ها روبه‌رو می‌شم."
از جا بلند شد. به طرف میزآرایش رفت و و روبروی آینه نشست. نگاهش را به صورت خود دوخت.
گیتا گفت: "شهرام حتماً می‌یاد ... تازه، تو که تنها نمی‌ری سراغشون ... سینا هست."
"البته که هست. حتماً هست ... چقدر هم حوصله سر بر!"
از جا بلند شد و همان‌طور که قدم می‌زد ادامه داد: "با اون وسوسهٔ خفه‌کننده‌ش برای حقیقت! حقیقت، همون دروغ بزرگ!"
روبه‌روی گیتا که کنار تخت نشسته بود ایستاد و به او خیره شد.
"اما من به دروغ‌های کوچیک نیاز دارم ... به اون‌ها که تلخی زندگی رو شیرین می‌کنن."
"خوب می‌فهمم!"
"تعجب‌آور نیست! زن‌ها این حقیقت رو بهتر درک می‌کنن ..."
کسی به در زد. صدای مهسا برخاست: "منم مامان!"
در باز شد. دختر به درون آمد و با سرخوشی بانگ زد: "از این بهتر نمی‌شه. عمو سینا به شاعر معرفیم کرد و استاد قبول کرد جلو دوربین

حرف بزنه."

دست الهه را در دست گرفت: "مرسی مامان جونم! مرسی گیتاجون! چه شبی! چه کادویی!"

الهه که به طرف میز آرایش می‌رفت گفت: "می‌خوام برای آرایش کمکم کنی."

دختر که به سوی در می‌رفت سرخوشانه گفت: "چشم مامی! هرچی بخوای! چند تا کار رو با سینا ردیف می‌کنم و زود برمی‌گردم!"

گیتا گفت: "چه شوری داره جوونی!"

"هیچیش به من نرفته."

"برعکس! عجیب شبیه همین!"

" شاید! اما اخلاقش رو از کی داره؟"

نگاهش را به گیتا دوخت. "سینا باهات حرف زده حتماً!"

"نه واقعا؟"

"مطمئنم گفته که نمی‌دونه!... نمی‌گه این رو؟! حتما می‌گه ... اما هیچ وقت خواسته راستش رو بدونه؟ مسلماً نخواسته ... دروغ براش بهتره. برای همه بهتره."

"مهم اینه که مهسا ..."

"کاملاً درسته! وگرنه چی بود؟ یه بچهٔ حرومزاده ... حالا دختر یه مهندس محترمه ... یه آقای به تمام معنی که فکر و ذکرش پول‌های منه ... وای که این بازی‌ها چه مضحکن!"

لبخندی صورت الهه را روشن کرد. انگار به آنی سرخوشی باز یافته بود. بانگ زد: "زنده‌باد مسخرگی!"

به طرف پنجره رفت: "کسی توی باغ نمونده. مهمون‌ها رفتن آماده بشن ... یواش یواش میل جشن داره به دلم برمی‌گرده."

گیتا به طرف پنجره رفت و کنار الهه ایستاد. باغ آرام آرام خود را به تیرگی‌های شب می‌سپرد. گیتا به ابرها نگاه کرد که آسوده در آسمان غنوده بودند. و سالن جشن را در نظر آورد که جنب و جوش داشت در

آن آغاز می‌شد.

با خاطری ناآرام به گفته‌های الهه فکر کرد. آیا می‌باید باورشان می‌کرد؟ یا آن‌طور که سینا می‌گفت این حرف‌ها هم از بازی‌های الهه بود؟

۳۷

با فرارسیدن تاریکی شب، که در زمستان زودآغاز است، سالن پذیرایی جلال و شکوهش را به رخ مهمانان می‌کشید. بازی نور در تالار، در سایه روشن‌های طاق و رواق‌ها و در روشنایی صحن، زیبایی اسرارآمیز و در همان‌حال شادی به فضا می‌بخشید.

طرف راست سالن، در محوطهٔ کهربایی که اسباب و وسایلش به این رنگ بود، بار مشروب در انتهای سالن بود و کنارش میز بلندی که رویش انواع مزه‌ها را چیده بودند. کمی دورتر، میزهای گرد و صندلی‌ها برای صرف شام ردیف شده بود. طرف چپ، در محوطه بنفش، ارکستری از سازهای مختلف، گرم کار بود و دورتادور آن، میزهای پایه کوتاه و مبل‌های کوچک پذیرای مهمانان بودند. هنوز هیچکس آنجا ننشسته بود. مهمان‌ها با جامی در دست دور الهه حلقه زده بودند. از آنجا که شهرام تاخیر داشت، گیتا الهه را همراهی کرده بود. ورود زن به سالن شور و هیجان فراوانی برانگیخته بود.

دیرتر، وقتی گفت‌وگوی الهه با مهمان‌ها سر گرفته بود، گیتا به سینا ملحق شده بود که لبخند بر لب چشم و گوش به جمع داشت. سیل تحسین و ستایش از هر سو به سوی الهه سرازیر بود و برق چشمان زن را برمی‌انگیخت. آرایش صورتش بی نقص می‌نمود. لباس شب بلند ارغوانی به تن داشت و شالی کهربایی شانه‌هاش را می‌پوشاند. نور ملایم سالن از گودی تیرهٔ زیر چشم‌ها می‌کاست و کدری پوست را می‌پوشاند. کلاه گیس شبق‌گون صورت مهتابی او را به جلوه در می‌آورد.

شاعر گفتاری ستایشگر در باره الهه ایراد کرد که حاضران با توجه و

علاقـه گـوش دادنـد. پـس از آن، مهمـان‌هـا بـه معرفـی همسـران و همراهانشان به الهه مشغول شـدند. گیتـا صـدای سـینا را کنـار خـود شنید: "داره می‌شه یک مراسم تشریفاتی بی‌مزه."

وقتی شهرام دوستانش را به الهه معرفی مـی‌کـرد، حـواس گیتـا بـا نگرانی متوجه واکنش‌های الهه بود. وقتی نوبت به معرفـی زنـی رسـید که پیش‌تر با شهرام دیده بود، بی اعتنایی الهه خیالش را آسـوده کـرد. زن پیراهن سیاه تنگی به تن داشت که سرخی موهـایش را بیشـتر بـه رخ می‌کشید. الهه نظری گذرا به او انداخت و بـه اسـتقبال دانشـجوی سابق که سویش می‌آمد آغوش گشود.

سینا بانـگ زد: "سـرخی پیشـونی رو نگـاه کـن! درسـت مثـل اون وقت‌ها!"

گیتا به پیشانی بلند مرد و قامت افراشـتهٔ او نگـاه کـرد کـه باریـک مانده بود. زن همراه او را فوراً شناخت: دختری که چهرهٔ برافروخته‌اش هنگام دکلمه شعر فروغ در ذهنش حـک شـده بـود. پیـراهن کوتـاه و صورت بی‌آرایش زن، حال و هوای دختران دانشجوی آن سال‌هـا را در خاطر گیتا زنده می‌کرد. تا وقتی که سام به هم معرفی‌شان کرد نه مرد و نه زن گیتا را به جا نیاوردند.

به محض آنکه حرفشان سرگرفت، پسر جوان آن‌هـا را بـا هـم تنهـا گذاشت. هردوی آن‌ها از گیتا تصویر محو نوجوانی خجالتی را در ذهـن داشتند و تعجب می‌کردند چطور گیتا آن‌ها را خوب به جا می‌آورد. بـا تحسر و تاسف از هما و همسرش یاد کردند. از خلال حرف‌هـای آن‌هـا گیتا دریافت که بیشتر دانشجوهایی که دور و ور خواهر دیـده بـود بـه زندان افتاده و خیلی‌شان اعدام شده بودند.

"و ما هنوز زنده‌ایم" زن طوری این را گفـت انگـار دارد عـذرخواهی می‌کند. بعد گیتا را در آغوش گرفت و بوسید. گیتا برای عـوض کـردن حال و هوا از او پرسید آیا هنوز شـعرهای فـروغ را حفـظ اسـت؟ مـرد اطمینان داد که همسرش در دکلمهٔ شعر به مهـارت بیشـتری رسـیده. سینا که حین گفت‌وگو به آن‌ها ملحق شده بود گفت امیدوار اسـت در

طول شب فرصتی پیش بیاید دکلمهٔ زن را بشنوند. سپس از آن‌ها دعوت کرد سر میز شام بروند.

پیشخدمت‌ها مهمانان را به جاهای تعیین شده هدایت می‌کردند. گیتا سمت راست الهه جای داشت و شهرام طرف چپ او نشسته بود. صندلی شاعر روبه‌روی الهه بود و همسر و دختر و نامزد دخترش او را همراهی می‌کردند. کمی دورتر، سینا به همراه خسرو فراهانی و همسر جوان او نشسته بودند و صندلی‌های دیگر را کارگردان تئاتر، همسر و پسر او اشغال کرده بودند. گیتا با تماشای میزها به خود می‌گفت سینا ترتیب قرار گرفتن مهمان‌ها را طوری تعیین کرده که گفت‌وگو بتواند از میزی به میز دیگر جریان یابد.

پیش از آنکه مهمان‌ها را دعوت کنند که برای انتخاب غذا طرف میز بزرگ بروند، خسرو فراهانی در نطق کوتاهی گفت چقدر شاد و مفتخر است که میزبانی چنین شبی را به‌عهده دارد. با مصرعی از حافظ سخنش را خاتمه داد و از مهمان‌ها خواست به افتخار الهه جام بالا برند. تانیا که از آغاز شب با پیراهن سفید دکولته در میان مهمان‌ها می‌خرامید، از صندلی کنار فراهانی برخاست و جامش را به طرف الهه بالا برد و جملات خیرمقدم را که به فارسی آماده کرده بود با لهجهٔ روسی ادا کرد.

شهرام غرید: "دکور کیچ رو خوب تکمیل می‌کنه!"

الهه چشمکی به گیتا زد و گفت: "چه سعادتی! بالاخره زبون آقا باز شد!"

شهرام که بشقاب به دست از جا برخاسته بود که به طرف میز پیش‌غذاها برود با همان لحن سخره‌آمیز اطمینان داد که به وقتش پرحرفی را شروع خواهد کرد.

الهه سرجا نشسته ماند تا مهمان‌هایی که دوربین به دست به سراغش می‌آمدند عکس بگیرند. بشقاب‌های شام را یکی پس از دیگری برایش آوردند: اول ظرفی از پیش‌غذاهای متنوع و پس از آن پلوی زعفرانی و خورشت‌های گوناگون بادمجان، کرفس و فسنجان.

همسر شاعر از شهرتی که فسنجان در آمریکا بهم زده بود گفت و بحثی دربارۀ آشپزی ایرانی شروع شد. شهرام با زن شاعر چند دستور غذا رد و بدل کردند. در این حین شاعر از تنهایی‌اش در تبعید می‌گفت و الهه از حس تبعید در داخل ایران.

کارگردان تئاتر در چند قدمی صدا بلند کرد: "این شما نیستین که تبعید شدین. ایرانه!"

شاعر پاسخ داد که این حرف از زبان هوگو در باره تبعیدش از فرانسه درست است، ولی ربطی به ایران و ایرانی‌ها ندارد. کارگردان تئاتر، برخلاف شاعر، فکر می‌کرد که حرف هوگو دربارۀ تبعید هنرمندان ایرانی هم صدق می‌کند. در حین حرف زدن با تمام قوا به طرف الهه خم می‌شد وهربار لبۀ کلاهش به صورت گیتا می‌خورد که کنار الهه نشسته بود. بالاخره گیتا به او پیشنهاد کرد جایشان را عوض کنند و مرد با لبخندی گشاده پذیرفت و به محض نشستن بحث را از سر گرفت. الهه به جملاتی کوتاه بسنده می‌کرد و در همان حال با تکان سر به اشارات مهرآمیز مهمان‌ها، که از همه سو برمی‌خاست، پاسخ می‌داد.

هر از گاه مهمانی از جا برمی‌خاست و با ادای کلماتی تحسین‌آمیز جام خود را به سلامتی الهه بالا می‌برد، و در پی او، همۀ حاضران به افتخارالهه جام‌هاشان را بالا می‌بردند. شاعر هربار جامش را تا ته سر می‌کشید و بی آنکه به توصیه‌های بازدارندۀ همسرش توجه کند از پیشخدمت می‌خواست دوباره جامش را پر کند. طولی نکشید که کاملاً مست بود.

وقتی مهمان‌ها در حال ترک میز شام بودند، الهه که به دقایقی استراحت نیاز داشت، از شهرام خواست تا اتاق همراهی‌اش کند. دقایقی بعد، وقتی به سالن بازگشتند، مهمان‌ها در سالن کهربایی دور هم نشسته بودند و جدی و شوخی می‌گفتند و می‌خندیدند. ارکستر آهنگ ملایمی می‌نواخت و مهسا و سام، دوربین‌ها بر شانه، صحنه‌ها را شکار می‌کردند. گیتا الهه را همراهی کرد تا در جایی که برایش در

نظر گرفته شده بود بنشیند.

شهرام به شاعر اشاره کرد: "یه پارچه آتیشه! اما من می‌شتابم سوی دودا! سرنوشت محتوم همهٔ ما!" و رفت تا به جمع سیگاری‌ها کنار پنجره‌های باز، نزدیک در بزرگ سالن بپیوندد.

گیتا چشم به آن سو انداخت و پرهیب زن موقرمز را دید که در حلقهٔ دوستان شهرام با حرکاتی ملایم می‌رقصید.

نزدیک‌تر، صدای شاعر بلند بود.

"ماها تو کدوم قرنیم؟! با تقویم نیاکان باستانی، پونصد سال و اندی از ۲۰۰۰ گذشته‌ایم ... مگه نه؟!"

چشم‌های مورب شاعر با خنده‌های مستانه مثل خط باریکی در صورت پهنش کج و معوج می‌شد. همسرش با خنده‌ای شاد تصدیق کرد.

منقد ادبی که موهایش ریخته روی شانه حالت مهربانی به سیمای عبوسش می‌داد تقریباً فریاد کشید: "خیر شاعر گرامی! ما هنوز از قرن ۱۴ میلادی عبور نکردیم! بفرمایین برای ما مفهوم زمان چیه؟! چیه جز انتظار ظهور امام زمان؟!"

گیتا با سری گرم از شراب حرف‌های پراکنده در فضا را می‌شنید و نگاهش می‌لغزید روی مهمان‌ها که جام به دست روی مبل‌های بنفش ولو شده و یا در گوشه و کنار ایستاده بودند. آن سوتر، در فضای کهربایی، ارکستر کوچکی مستقر بود که با ویولن و پیانو و ضرب به تناوب موسیقی غربی و شرقی اجرا می‌کرد.

روزنامه‌نگار ساکن کانادا صدا بلند کرد: "تند نرو دوست عزیزا! از هر چهار آمریکایی، یکی اعتقاد داره مسیح سال ۲۰۰۰ برمی‌گرده. باور می‌کنین؟!"

به سبیل پرپشت جو گندمی‌اش دست کشید:"اعتراف کنیم که حماقت بشری بی‌مرزه!"

در میان کف زدن‌ها صدای نویسنده مقیم پاریس بلند شد: " مسیح همون امام زمان خودمون نیست؟! چرا دوستان! عروج مسیح و ناپدید

شدن امام دوازدهم هر دو یک فکرن!"
همسر او به توافق سر تکان داد: "و هـردو تحـت تـاثیر میترائیسـم! نوئل واقعی همین امشبه! شب یلدای ما!"
صدای خنده‌ای بلند شد و کارگردان تئـاتر کـه صـدای کلفـتش بـا حالت کودکانه و صورت گرد و سرخ از شرابش جور نبود ندا داد: "خبر ندارین مگه؟ ماها ناجی رو تو چاه خفه کردیم ...! بر نخواهد گشت!"
گیتا برق چشم‌های سینا را دید و اشاره‌هـای سـرش را بـه مهسـا و سام که از دو زاویهٔ مختلف فیلم مـی‌گرفتنـد. بـا خـود گفـت: "اولـین صحنه خفن به قول سامی!"
آهنگساز که چشم‌های سرخ شده‌اش پشت شیشه‌های کلفت عینک حالت گریه داشت برخاست. جام را به سوی الهه بـالا بـرد و بانـگ زد: "مسیح ناجیه ولی امام غایب فرمانروای ویرانه‌هاس ...! تبـاهی بایـد بـه اوج برسه تا بیادا!"
نمایشنامه‌نویس جامش را سرکشید، پشت راست کرد و بـا هیجـان گفت: "و ما ملت ایران کی هستیم؟ جاده صاف کن امام زمان!"
استاد دانشگاه از سـینی گارسـونی کـه مـی‌گذشـت جـامی شـراب برداشت و گفت: "از کدام ملت حرف می‌زنین دوستان؟"
دختر شاعر جواب داد: "از ما و شما و از دیگرون عزیز!"
حالا دیگر همـه بـا هـم حـرف مـی‌زدنـد. بـا فریـاد خـش‌دار زنـی کوچک‌اندام که دست‌هایش را به تندی تکان می‌داد هیاهو اندکی فـرو نشست: "لطفا فقط از خودتون بفرمایین! این چه عادت بدیه کـه دایـم به نمایندگی از ملت حرف می‌زنیم!"
دوست آهنگساز، زنی جوان که کت و شلوار پوشیده بـود و موهـای کوتاه داشت با صدای بم و لحنی رسا تائید کرد: "دقیقـاً! ایـن یکـی از امراض فرهنگی ..."
یک‌باره صدای مستانه تانیا در فضا طنین انداخت، با لحنی مقطـع و لهجه روسی خواند: " جهان فانی/ باقی/ فدای/ شاهد/ ساقی!"
تانیا جامش را رو به الهه بالا برد و طنـین خنـدهٔ فروخـورده‌ای کـه

فضا را درمی‌نوردید با اشارهٔ سر الهه فرونشست.

پوشیده در شال کهربایی، زن با چهره‌ای آرام لبخند می‌زد. نشسته با پشت راست و دست‌ها بر زانو، به چشم گیتا تصویر خدابانویی را که سال‌ها در تخیلاتش زیسته بود زنده می‌کرد. گوئی هر چرخش نگاه زن به حرکات تن‌ها، آه‌ها و کلام‌ها و خنده‌های آنان که گردش حلقه زده بودند معنای نهفته را باز می‌داد.

به آنی، انگار نوار فیلمی به عکس بچرخد، رشته تصویرها، یکی پس ازدیگری، از ذهنش گذشت. از درخشش برنزهٔ صورت‌های سام و مهسا در فرودگاه به سرخی مویرگ‌ها در آبی چشم‌های هلن، از آنجا به رگ پیشانی سینا وقت عشق‌بازی، و راه کشید لابه‌لای چین‌های پیشانی پدر که خم شده بود روی گهوارهٔ سام؛ آنجا که روشنایی لبخند نوزاد با برق بلوطی موهای خواهر درآمیخت ؛ و قاطی شد با برق لولهٔ کلاشینکوف از پنجره ماشین هما و گم شد در چراغانی حجلهٔ شهیدها در کوچه؛ و هالهٔ روشن چرخانی شد گرد مادر که با پیراهن یشمی و کفش پاشنه بلند به طرف خانه می‌آمد.

گیتا از پنجره می‌دیدش که دارد می‌آید و تا دمی دیگر در را باز می‌کند. صدای پایش از پله‌ها می‌آمد. و گیتا می‌توانست بدود جلو، به آغوشش برود، صورتش را به سینهٔ او بچسباند، مشامش از بوی شیرین رز پر شود و گرمایی مطبوع در جانش بنشیند.

۳۸

سینا گفت: "محشره الهه تو نقش ملکه سبا! حیف که سلیمانی تو کار نیست!" و درگوش گیتا به زمزمه افزود: "بجاش نمایش ما پره از هذیون آدم‌هایی که می‌نخورده هم هوشیار نیستن ...، چه برسه به حالا که تقریباً مست تشریف دارن!"

در این لحظه نمایشنامه‌نویس پیش پای تانیا زانو زده بود و قربان صدقه‌اش می‌رفت. همسرش بی نتیجه می‌کوشید با چشم غره رفتن شوهر را متوجه خود کند. فراهانی لبخندزنان به این صحنه می‌نگریست و در همان حال گوش به سخنرانی غرای استاد دانشگاه داشت که به ستونی تکیه داده بود.

"منتظران مسیح و مهدی رو مسخره کنیم! بسیار خوب! اما تکلیف‌مون با آپوکالیپسی که خودمون داریم به پا می‌کنیم چیه؟! یه اشتباه کامپیوتری میتونه فاجعه عظیمی بار بیاره!

صداهایی از این سو و آن سو به اعتراض برخاست.

سیستم مجهزه! ...

هیاهو برای هیچ!

همه چی تحت نظره!

تازه اگه پیش بیاد چی می‌شه مثلاً؟

استاد چانه جلو داد و اشاره کرد به همسر کارگردان تئاتر که زنی چالاک به نظر می‌رسید: "خانم می‌گه اگه بشه چی می‌شه! هیچ تصوری ازخرابکاری عظیمی که تو دنیای ماشینی ما راه می‌افته دارین؟"

زن خندید: "غصه شو نمی‌خورم! تازه برمی‌گردیم به محیط زیست

انسانی!"

آهنگساز همان‌طور که عینکش را پاک می‌کرد صدا سر داد: "نخیر خانم! صد سال پیش به پنجاه سالگی نمی‌رسیدیم من و شما! اما بچه‌هایی که تو سال دوهزار به دنیا میان، شانسشو دارن به صد سالگی برسن!"

نویسندهٔ مقیم پاریس با چهرهٔ شوخ، یله روی مبل دست در گردن دوست دخترش فریاد زد: "کاش فقط سی سال زندگی می‌کردم، اما تو عصر بودلر! ... پست مدرن یعنی مرگ هنر!"

منقد ادبی که دوباره موهایش را دم اسبی کرده بود خنده سر داد: "از خواب بیدار نشدی رفیق! ما فارسی‌نویسا هنوز تو پیش‌مدرنیم!"

شاعر از جا بلند شد و در حالی که دست‌ها را مثل پاندول به اطراف حرکت می‌داد با صدای بلند و بم دکلمه کرد: "ای شمایان که آگاه نیستید امیر چه وقت خواهد آمد! شب یا نیمه شب، به گاه سحر، وقت بانگ خروس، یا در روشنایی روز ... بترسید از آنکه ناگاه از در درآید و شما را در خواب بیابد ... پس بیدار بمانید!"

جام را به سوی الهه بالا برد. "کجاست ناجی؟!"

دو سه نفر کف زدند و شاعر برایشان بوسه فرستاد.

زن سبزه‌رو از کنار دانشجوی سابق برخاست و بلند گفت: "نجات دهنده در گور خفته!"

کارگردان تئاتر پوزخند زد: "ای بابا!"

چند نفر خندیدند. زن انگار روی صحنهٔ نمایش حرف بزند کلمات را شمرده ادا می‌کرد: "هفت ماه توی قبری بودم که بازجو برای زندانی‌های حرف گوش نکن درست کرده بود! ... تا پلک روی هم می‌ذاشتم شلاق می‌خورد تو سرم که چشماتو باز کن! ... تا وقتی که زبونم باز شد! ... اونوقت بازجو کلید دوربین رو زد و گفت: بگو!"

زن مکث کرد. سکوت جمع را فرا گرفته بود.

"اعتراف کردم! ... به همدستی‌ام با ابلیس! ... به فکرهای پلیدی که تو سرم می‌گذشت ... به هوس‌هایی که تنم رو کثیف می‌کرد!"

ساکت شد. جمع هم ساکت بود. تنها نوای ملایم موسیقی جریان داشت. پلک‌های الهه فرو افتاده بود.

صدای مخملی دانشجوی سابق سکوت را شکست:

"از آینه بپرس/ نام نجات‌دهنده‌ات را: این انفجارهای پیاپی/ و ابرهای مسموم/ آیا طنین آیه‌های مقدس هستند؟"

گیتا به الهه نگریست که لب‌هایش لرزشی خفیف داشت انگار خاموش ورد می‌خواند.

صدای کف زدن منقد ادبی برخاست: "آفرین! اما ..."

سرش را به چپ و راست تکان داد: "شعر دیگه بسه! فقط و فقط رمان می‌تونه به قلب تراژدی ما نقب بزنه! رمانی که ننوشتیم! نمی‌تونیم بنویسیم!"

الهه بدون اینکه پلک بزند، خیره به منقد می‌نگریست. لبخند تمسخرآمیزی بر لبش ظاهر شد که به آنی جایش را به ملالی داد که بر چهره‌اش سایه انداخت، حالی که گیتا بارها در او دیده بود. همین ملال سنگین را در فروافتادگی شانه‌های سینا هم که چشم به الهه داشت می‌دید. با نگاه دنبال سام گشت. کنار ستونی ایستاده بود. چشم به دوربین داشت که بر سه پایه‌ای سوار بود. گیتا رفت و کنارش ایستاد.

"کشف کردم خاله راز دوربینو! وقتی زاویه عوض می‌کنی تموم منظره عوض میشه ... از جات تکون نخوردی اما انگار وایسادی یه جای دیگه!"

دست بر شانه گیتا گذاشت و با ملایمت او را پشت دوربین برد. گیتا از چشمی دوربین شهرام را دید که میان حلقه جمع پیش می‌آمد.

"کدوم نویسنده؟ کجاس؟"

ایستاد و چشم را به الهه دوخت. زن ابرو بالا برده شهرام را می‌نگریست.

شهرام جابه‌جا شد، سر چرخاند و نگاهش ثابت شد روی سینا که با فاصله از جمع ایستاده بود. بعد با لحنی بریده بریده ادامه داد:

"نویسنده‌های ما! خانوما، آقایون! نمی‌تونن این تراژدی رو بنویسن ... در واقع، خود اون‌ها دلقکای این تراژدین ... و این تراژدی هم ... در واقع یه تراژدی نیست خانوما، آقایون ... تشریف ندارن اون قهرمان‌هایی که جنگ‌شون با مرگ و با تقدیر عمق تراژیک زندگی رو نشون بده!"

مکثی کرد و با لحنی محکم ادامه داد: "خانم‌ها و آقایون، ماها فقط تعزیه بلدیم ... و توی تعزیه مرگ رُل اصلی رو داره! سوز و گداز و رعشه‌های لذت، همه از مرگ می‌یان. مرگ معشوقه ست و عاشق و عشق!"

نگاهش را روی جمعیت گرداند: "من اما ... خانما، آقایون! ... می‌خوام از این تعزیه برای همیشه بزنم بیرون! زنده‌باد زندگی!"

چرخید وجامش را سوی زن موشرابی بالا برد. زن با حرکات رقص‌گونه پیش آمد و جام را گرفت.

گیتا دوربین را روی الهه برد. صورت زن آرام و نفوذناپذیر می‌نمود. به کندی دست‌هایش را از روی زانوها بلند کرد و شروع به کف زدن کرد.

جمع همراه الهه به کف زدن درآمد. شهرام تعظیم کوچکی به سوی الهه کرد و با خنده‌ای بلند زن موشرابی را در آغوش کشید. همگام با موسیقی به رقص در آمدند.

نمایشنامه‌نویس دست در دست تانیا میان حلقه آمد: "صددرصد موافقم! زنده‌باد زندگی! بخصوص که همه مون بی بروگرد تو قرنی که از راه می‌رسه می‌میریم!"

جمعی دور الهه حلقه زدند. گیتا دوربین را روی صورت سینا برد. نگاه مرد خالی می‌نمود. پریدگی رنگش که به زردی می‌زد به این حال می‌افزود. گیتا دوربین را وانهاد.

خنده شاد سام برخاست: "عجب تَریپی زد شهرام! خفن سینمایی! از دست داد مهسا اجرای زنده رو!"

معلوم شد وقتی شهرام به صحنه آمده بود دختر جوان که از او دل

خوشی نداشت برای ضبط گفتگو با شاعر به مهتابی باغ رفته بود. سام حرف را با تعریف تکه‌های خنده‌دار مهمانی ادامه داد اما گیتا آشفته بود. فکر کرد خوب است با سینا حرف بزند. مرد را جست و پیدایش نکرد. الهه هم سر جایش نبود.

در صحن میانی تالار، زیر نوری که به تناوب رنگ عوض می‌کرد، مهمان‌ها با موسیقی که گاه تند و گاه ملایم می‌شد می‌رقصیدند. تک و توکی ولو روی مبل‌ها چرت می‌زدند. مهسا مشغول فیلمبرداری از دانشجوی سابق و همسرش بود. گیتا از خسرو فراهانی که تانیای نیمه مست از گردنش آویزان بود پرس و جو کرد. مرد گفت سینا در مهتابی باغ است و الهه به اتاقش رفته استراحت کند.

شهرام که همچنان با زن موقرمز می‌رقصید به طرف گیتا سر خم کرد و گفت: "ملکه بعد از اذن آزادی غلام مجلس را ترک نمودند!"

خنده بلندش گیتا را که به طرف مهتابی می‌رفت بدرقه کرد.

۳۹

سینا با شنیدن صدای پا سر برگرداند. سیگار به دست از روی نیمکت برخاست و گفت: "اینجا از مجلس ما کمتر سرده!"

گیتا گفت: "الهه وحشتناک غمگین بود. از پشت دوربین سامی انگار از نزدیک می‌دیدمش!"

سینا پکی به سیگارش زد: "نزدیک، دور؟! چه فرقی می‌کنه؟ دیدی چه جوری با یک حرکت بازی رو برد!"

"جوری حرف می‌زنی انگار ..."

"انگار؟!"

"انگار شهرام!"

"توی جفنگیات شهرام یه حرف حسابی بود، درام‌های ما کمدی‌های مبتذل‌اند و ماها دلقکایی که ..."

"خب! اگه تو سناریو رو می‌نوشتی چی؟!"

"گمونم راهی جز خودکشی دسته جمعی باقی نمی‌موند!"

سینا بعد از پکی عمیق، سیگارش را زیر پا له کرد و افزود: "حالا احتیاج دارم تنها باشم!"

گیتا به تالار برگشت. روی مبلی نشست و کوشید به فکرهایش نظم دهد. حس می‌کرد هرگز با سینا چنین بیگانه نبوده و انگار این غریبگی به همه چیز تسری یافته باشد، یکباره خود را در فضایی سرد و خالی از آشنا حس کرد.

در میانهٔ صحن، در پرتو نور بنفش، مهمان‌ها دست بر شانه هم حلقه‌ای ساخته بودند که با نوای موسیقی حرکت می‌کرد. هر دم یکی به میان حلقه می‌آمد و می‌رقصید. حالا نوبت منقد ادبی بود که تند پا

به هم می‌کوفت. سام و مهسا هم همراه بقیه، شاد و سرخوش، او را تشویق می‌کردند.

گیتا با خود گفت: "دوربین ها رو گذاشتن کنار ... بازی تموم شد!"

سرش را به پشتی مبل تکیه داد و چشم‌ها را بست. پردهٔ مخملی یشمی رنگی فروافتاده بر صحنه‌ای بزرگ در تصورش آمد. خودش را میان تماشاچی‌ها دید. کف‌زنان و چشم به صحنه تا پرده بالا رود و هنرپیشه‌ها برای خداحافظی روی صحنه بیایند. فکر کرد: "چه رسم خوبی! پایان کار شاده، حتی اگه نمایش تلخ باشه."

با صدای کف زدنی مردد چشم گشود و الهه را دید. پوشیده در ردای ارغوانی، با کفش‌های پاشنه بلند و گام‌های ناموزون نزدیک می‌شد. آرایش غلیظ، با سفیدی اغراق آمیز پوست، سرخی تند لب‌ها و سیاهی خط چشم، صورتش را به ماسک شبیه کرده بود.

جمع، حلقه گسسته، با کف زدنی نامطمئن از او استقبال می‌کرد. مهسا به سویش رفت و بازویش را به ملایمت گرفت. زن بی سخن اما با زشتی قاطع دختر را از خود دور کرد. در میانهٔ حلقه که دورش شکل گرفت آغاز به رقصیدن کرد. حرکات تند و مقطع دست‌هایش کم‌کم با موزیک هماهنگ شد. دست برد و کلاه گیس را برداشت. طاسی‌های سرش پیدا شد. همهمهٔ خفیفی برخاست.

شاعر پیش آمد. به زن نزدیک شد و حرف‌هایی زمزمه کرد. الهه با سردی او را عقب راند. همچنان که می‌رقصید شال بلند را از دوش لغزاند و روی زمین انداخت. منقد ادبی پیش آمد، اما زن او را هم با اشاره دست از خود دور کرد. بی توجه به خواهش‌های اطرافیان، رقص را ادامه می‌داد. با حرکات آرام و محکم دست‌ها و پاها دایره‌ای دور خود کشیده بود که هیچکس نمی‌توانست وارد آن شود.

زیپ پیراهن دکولته را در پهلوی چپ با تانی باز کرد و بندهای پیراهن را به پایین لغزاند. پستان بند ارغوانی را باز کرد. جای خالی پستان چپ آشکار شد. هق هق گریهٔ مهسا برخاست. دانشجوی سابق و همسرش دختر را از جمع بیرون بردند.

الهه همان‌طور که می‌رقصید پیراهنش را که روی پا لغزیده بود درآورد و دورتر بر زمین انداخت. قامت راست کرد و از رقص بازایستاد. بی‌حرکت و با نگاهی خیره به جمع می‌نگریست که انگار از حیرت و ترس فلج شده باشد کاملاً ساکت بود.

در سایه روشن نوری که کم و زیاد می‌شد، الهه، با پستانی بریده و سری نیمه طاس، در چشم گیتا به مجسمهٔ شکسته‌ای می‌ماند. از جا برخاست، شال ارغوانی را از زمین برداشت و به طرف او رفت. الهه بی هیچ مقاومتی گذاشت در شال بپوشاندش و در آغوشش بگیرد.

حلقهٔ جمع در سکوت حرکت کرد و راهرویی را شکل داد تا آن دو از میانش عبور کنند. تکیه به گیتا، الهه با چشم‌های بسته آه می‌کشید. ضرب‌آهنگ ملتهب نفس‌هایش رژهٔ صورت‌ها را پیش چشم گیتا همراهی می‌کرد.

۴۰

گیتا لیوانی آب به الهه نوشاند و قرص آرامش‌بخشی همراهش کرد. آرایش صورت او را پاک کرد. بعد وان را پر کرد و زن را در آب گرم خواباند. تن او را شست و خشک کرد و پیراهن خوابش را پوشاند.

وقتی الهه را در رختخواب خواباند و چراغ را خاموش کرد، تن زن شروع به لرز کرد و آرام نگرفت تا گیتا کنارش خوابید و درآغوشش گرفت. چسبیده به گیتا آه‌های طولانی می‌کشید و کلماتی گنگ می‌گفت.

کم‌کم رفت و آمد در پله‌ها خاموشی گرفت و سکوت بر همه جا حاکم شد. نفس‌های آرام الهه می‌گفت به خواب رفته است.

میان خواب و بیداری، گیتا صدای باز شدن آهسته در اتاق را شنید. پرهیب سینا را دید که به درون آمد. دمی بعد، مرد، بی سخن کنار تخت ایستاده بود. گیتا دست به سویش پیش برد. مرد دست او را گرفت و به زانو نشست.

گیتا برای مرد جا باز کرد و سینا به رختخواب خزید. دست‌هایش یخ زده بودند، اما سرش، چسبیده به سینه گیتا، از گرما سوزان بود. زن به حرف‌های نامفهوم او گوش سپرد. پچپچه‌هایش رفته رفته با آه‌هایی طولانی به خاموشی گرایید.

باریکهٔ نوری که از پنجره سرکشید می‌گفت که صبح سر زده است.

پایان

نشر باران منتشر کرده است

■ داستان، رمان، نمایشنامه و طنز

- آزاده خانم و نویسنده‌اش، رمان، رضا براهنی
- آن زن، آن اتاق کوچک و عشق، عزت‌السادات گوشه‌گیر
- آن زن و مرد خوشبخت، مجموعه داستان، مرتضا میرآفتابی
- آنسوی چهره‌ها، داستان، رضا اغنمی
- آویزه‌های بلور، مجموعه داستان، شهرنوش پارسی‌پور
- اجاره‌نشین بیگانه، داستان، حسین نوش‌آذر
- باغ‌های تنهایی، دو داستان، محمود مسعودی
- بانو در شهر آینه، نیلوفر بیضایی
- بر بال باد نشستن، داستان، شهرنوش پارسی‌پور
- برادرم جادوگر بود، داستان، اکبر سردوزامی
- بوف‌کور، دست‌نوشته‌ی صادق هدایت به‌انضمام نسخه‌ی اصل زنده‌بگور
- بی‌بی شهرزاد، شیوا ارسطویی
- پارهٔ کوچک، داستان، ثریا رحیمی
- پروانه‌ای در مشت، ایرج جنتی عطائی
- پرومته در اوین، ایرج جنتی عطائی
- پیامبر، قادر عبدالله، (سهیلا)
- تابستان تلخ، رمان، رضا علامه‌زاده
- تاک‌های عاشق، نوشین شاهرخی
- تأملی بر تنهایی، داستان، حسین نوش‌آذر
- تسلیم، داستان، امین زئوئی، (برگردان: محمدرضا عمرانی)
- تثلیث جادو، داستان، منصور کوشان
- تجربه‌های آزاد، داستان، شهرنوش پارسی‌پور
- طوبا و معنای شب، شهرنوش پارسی‌پور
- تمثال، نمایشنامه، رضا قاسمی
- جن‌نامه، رمان، هوشنگ گلشیری
- چاه بابل، رمان، رضا قاسمی
- خانه‌ی آخر، بیژن بیجاری
- خط میخی، یادداشت‌های اکبرآقا، قادر عبدالله
- خرشناسی تطبیقی، طنز، فرزاد ابراهیمی
- خواب پلنگ آبی، داستان، کوشیار پارسی
- خیابان طولانی، داستان، محمود فلکی
- داستان‌های کوتاه از نویسندگان بزرگ سوئد، (سعید مقدم)
- داستان‌های کوتاه، مهشید امیرشاهی
- داستان‌های کودکان، پتر بیکسل، برگردان: بهزاد کشمیری‌پور
- دختر ترسا، شکوفه تقی
- دهان خاموش، منصور کوشان
- راست و دروغ، مجموعه داستان، م. ف. فرزانه
- راسته‌ی آریزونا، مجموعه داستان، نسیم خاکسار
- زمانی عاشق بودم، داستان، کوشیار پارسی
- زن رها شده، داستان، سیمون دوبوار، (برگردان: منیژه آهنی)
- زنان بدون مردان، داستان، شهرنوش پارسی‌پور
- زنانه، چند داستان (؟)، الاهه بقراط
- سر سفرهٔ خویشان، داستان، حسین نوش‌آذر
- سفری در سرخ، مجموعه داستان، محمد عقیلی
- سنگی بر گوری، جلال آل‌احمد
- سگ و زمستان بلند، شهرنوش پارسی‌پور
- سورۂ الغراب، رمان، محمود مسعودی
- شالی به درازای جاده‌ی ابریشم،مهستی شاهرخی
- شاه سیاه‌پوشان، داستان، هوشنگ گلشیری
- شب قدر، رمان، طاهر بن‌جلون، (نجمه موسوی)
- شبان نیکو، مجموعه داستان، مهستی شاهرخی
- شمایل مانا، رمان، مختار پاکی
- شیوا، یک داستان‌دانش، شهرنوش پارسی‌پور
- عقل آبی، رمان، شهرنوش پارسی‌پور
- غوک، رمان، رضا علامه‌زاده
- فراموشی، جواد پویان
- فرزند پوشالی، رمان، طاهر بن‌جلون، (برگردان: نجمه موسوی)
- فرشته‌ای که نمی‌خواست حرف بزند، فهیمه فرسایی
- کسی می‌آید، رُمان، مهری یلفانی
- کوچه شامپیونه، محسن حسام
- گذشته‌ای هست که نمی‌گذرد، داستان، ثریا رحیمی
- گنجینهٔ زنان، مجموعه داستان، م. روانی‌پور، س. بهبهانی، ف. ساری، ش. پارسی‌پور، گ. ترقی، غ. علیزاده، پ. روشن‌زاده، ف. لاشائی
- گربه، رمان، هوشنگ اسدی
- ماجراهای ساده و کوچک روح درخت، داستان، شهرنوش پارسی‌پور
- مادام س ، مهرنوش مزارعی
- مادران و دختران، کتاب دوم ، مهشید امیرشاهی
- مادران و دختران، کتاب سوم: ، مهشید امیرشاهی
- ماهان کوشیار، نمایشنامه، رضا قاسمی
- ماهیگیری در بار زرافه، مجموعه داستان، سردار صالحی
- مردی در حاشیه، مجموعه داستان، شهرام رحیمیان
- مرگ یک شاعر، مجموعه داستان، بهمن سقایی
- معنای تمشیت، هوشیار دربندی
- مونولوگ پاره پارهٔ شاعر شما، اکبر سردوزامی
- نامه‌های سوئدی، مجموعه داستان، (برگردان: شاهرخ کامیلب)
- نامه‌های یک تمساح به همزادش، حسین نوش‌آذر
- نوبت رقص من، اکبر سردوزامی
- نُه داستان، عزت‌السادات گوشه‌گیر، شهلا شفیق، شکوه میرزادگی، مهشید امیرشاهی، زهرا کدخدائیان، سیمین دانشور، مهری یلفانی، فهیمه فرسایی، میهن بهرامی
- وزارت نظارت، کامران جمالی
- هارون و دریای قصه‌ها، رمان سلمان رشدی، (برگردان: سینا سلیمی)
- یاد و رؤیای تهران، مهدی استعدادی شاد
- یادداشت‌های خانم هله‌مان، شریفه بنی‌هاشمی
- یک بغل رُز برای اسب کَهَر، بهرام مرادی
- یک روز مانده به آخر زمان، سرور کسمایی
- یک معشوق مرده، یلدا معیری
- یک سرگذشت و دو نامه، رباب محب

■ شعر

- آب‌های آینه‌دار، اکبر ایل‌بیگی
- آینده، دنا رباطی
- از پشت پنجره، طاهر جام‌برسنگ
- از سنگلاخ و صاعقه و کاروان، نعمت آزرم
- اسطوره‌ها، شعر یان استرگرن (برگردان: سهراب مازندرانی)
- اعتراف‌نامه‌ی دختران بد، لیلا فرجامی
- اما اگر بهار نیاید، محمدعلی محسنی‌پور

- آواز دل رها، حسن ساحل‌نشین
- آوازهای ماهِ گمشده، روشنک بیگناه
- **این سکته‌ی سگ‌مَصّب، اکبر ذوالقرنین**
- این شعرها چون آینه دان، اکبر ایل‌بیگی
- باجه نفرین، مریم هوله
- با ستاره‌ای شکسته بر دلم، زیبا کرباسی
- با مرغان دریایی، امیرحسین افراسیابی
- بدون مصرع اول، بهنام باوندپور
- به آب، به آتش، به باد، به خاک، هما سیار
- بهترین‌های نیما، به انتخاب و مقدمه: مجید نفیسی
- پاپتی بر مخمل شب، بهزاد کشمیری‌پور
- پاورقی، رباب محب
- پدر و پسر، مجید نفیسی
- پری‌زدگان، ژیلا مساعد
- خروش خاموشی، ژاله اصفهانی
- رفتم گلت بچینم، مجید نفیسی
- رقص یادها، لعبت والا
- رود تلخ؛ پزندهام نگهدار، ژیلا مساعد
- ژِندهخانه و کتابِ شمسی، حسین شرنگ
- سفرهای ملاح رؤیا، جواد مجابی
- سینیور، لیلی گله‌داران
- شمعدانی‌های سرخ شفق، شاداب وجدی
- شب تاریک و بیم و موج و...، غلامرضا ایزدی
- شعرانه، هادی خرسندی
- شوق، راه‌های در پیش روست، روشنک بیگناه
- طبلهای قبیلهٔ مرده، مرتضی ثقفیان
- طلسم، خطابهٔ سقوط به سایه، ا. ماهان
- غبار روبی، سعید یوسف
- فصل خاکستر، طاهر جام‌برسنگ
- کارنامه‌ی اسماعیل خوئی، کتاب نخست
- کارنامه‌ی اسماعیل خوئی، دفتر دوم
- کارین، فروغ، یک روح دو زبان، (سوئدی، فارسی) (برگردان: سعید مقدم، یانه کارسون)
- کتاب ترس، جمشید مشکانی
- کندوی رفته با باد، مهدی فلاحتی
- نوروز بر شبانه‌ی تبعید، علی‌رضا نوری‌زاده
- وارینیا، رباب محب

■ تحقیق، تاریخ، گفتگو ...

- آخرین فرصت گل، مهدی اصلانی
- ادبیات، فرهنگ و جامعه از منظر روانشناسی، رضا کاظم‌زاده
- ارسطوی بغداد، محمدرضا فشاهی
- از آبکنار تا راور کرمان، رحمان عریان آبکنار
- از برلین تا اوین، حسن یوسفی اشکوری
- از تلخی فراق تا تقدس تکلیف، بهروز شیدا
- از حاشیه تا متن، در باره لبریخته‌های رؤیایی، گردآوری و تنظیم: هما سیار
- از حجره‌های سالوس تا غرفه‌های سوپردولوکس، علی‌رضا نوری‌زاده
- از دیدار خویشتن، احسان طبری
- از شهریاری آریایی به حکومت الهی سامی، محمدرضا فشاهی
- از لابلای دفتر ایام، علی‌رضا نوری‌زاده
- اسلامی‌نویسی، اسد سیف
- اسم شب سیاهکل، انوش صالحی
- اسناد بهائیان ایران، جلد نخست. تورج امینی
- اسناد بهائیان ایران، از ۱۳۳۲ تا انقلاب اسلامی تورج امینی
- اعترافات شکنجه‌شدگان، زندان‌ها و ابراز ندامت‌های علنی در ایران نوین، یرواند آبراهامیان، (برگردان: رضا شریفها)
- الهیات سیاسی و آرمان مهدیگری، محمدرضا فشاهی
- اندیشیدن فلسفی و اندیشیدن الهی عرفانی، محمدرضا فشاهی
- انهدوانا، به‌کوشش و ویرایش بهنام باوندپور
- ایران تریبونال، بابک عماد
- ای کوته‌آستینان، سعیدی سیرجانی
- این خروس از کیست که سر ندارد، بهروز شیدا
- باران برهوت بوف کورها، بهروز شیدا
- بامداد در آینه، ده سال گفتگو با احمد شاملو، نورالدین سالمی
- بخشی از تاریخ جنبش روشنفکری ایران، بررسی تاریخی
- تحلیلی کانون نویسندگان ایران، مسعود نقره‌کار
- بهائیان ایران، ویراستار فریدون وهمن
- پرسه در اقلیم حیرت‌آور زنبق‌ها، شعر پریتیش ناندی، (برگردان: مهدی فلاحتی)
- پشت دریچه‌ها، شهین حنانه
- پنج اقلیت و نوشته‌های دیگر، مهدی فلاحتی
- پنجره‌ای به بیشه‌ی اشاره، بهروز شیدا
- بهائیان ایران، ویراستاران: دومینیک پرویز بروکشا و سینا فاضل، ویراستار متن فارسی و به کوشش، فریدون وهمن
- تکوین سرمایه‌داری در ایران، محمدرضا فشاهی
- تجدید حیات سوسیال دمکراسی در ایران، سعید رهنما
- تراژدی‌های ناتمام در قاب قدرت، بهروز شیدا
- تنها جرعه‌ای قهوهٔ تلخ (شاعران زن در روسیه‌ی قرن بیستم)، بهنام باوندپور
- تیغ بر جان، درآمدی بر جامعه‌شناسی تاریخی فقه شیعه و ولایت فقیه، آرش شادان
- جمهوریخواهی در ایران، پیشینه‌ی تاریخی، ناصر رحیم‌خانی
- چالشگری زنان علیه نقش مردان، مهرداد درویش‌پور
- چهار شاعر آزادی، محمدعلی سپانلو
- حدیث تشنه و آب، منصور کوشان
- حدیث خلوت انس، عباس معروفی
- حکایت دختران قوچان، افسانه نجم‌آبادی
- حماسه‌ی ایران، جلیل دوستخواه
- حماسه سیاهکل، حمید اشرف
- خاطرات بزرگ علوی، به کوشش حمید احمدی
- خاطرات دوران سپری نشده، پروین توکلی(ر. کلباسی)
- خاطرات زندان، شهرنوش پارسی‌پور
- خانواده و اعتیاد، مهرانگیز کار
- خانه دایی یوسف، اتابک فتح‌اله‌زاده
- داوری در داوری زنان، احمد علوی
- در جستو جوی رهایی، مریم نوری
- در جستجوی شادی، نقد مرگ‌پرستی و مردسالاری در ایران، مجید نفیسی
- در ستایش تبعید، مهدی استعدادی شاد
- در سوکِ آبی آب‌ها، جستار ادبی، بهروز شیدا
- در قلمرو موسیقی، محمود خوشنام
- دمکراسی رادیکال، محمدرفیع محمودیان
- دیارده گه رایی تارواگه، ریبوا سیوه یلی
- دین و دولت در عصر مشروطیت، باقر مؤمنی

- ذهن در بند، اسد سیف
- روانشناسی توده‌ای فاشیسم، ویلهلم رایش، (برگردان: علی لاله‌جینی)
- روانشناسی شکنجه، منیره برادران
- روانکاوی بوف‌کور، رضا کاظم‌زاده
- زبان سرخ، نوشته‌های پراکنده، م.ف. فرزانه
- رستاخیز پنهان، تورج امینی
- زنان ایران؛ چراغی در دست، چراغی در راه، عفت ماهباز
- زن‌آزاری در قصه‌ها و تاریخ، شکوفه تقی
- زنان در بند ۲۰۹ اوین، خاطرات، ژیلا بنی‌یعقوب
- زنبور مست آن‌جاست، بهروز شیدا
- زندگی در زندان، رجایی‌شهر و اوین، بهمن احمدی امویی
- ستاره‌ی سرخ (ارگان مرکزی فرقه‌ی کمونیست)، به کوشش حمید احمدی
- ستیز و مدارا، ضد حکومت اسلامی، رامین کامران
- سرگذشت کانون نویسندگان ایران، محمد علی سپانلو
- سوئد در گذرگاه تاریخ، فریدون شایان
- شاعران و پاسخ زمانه، مهدی استعدادی شاد
- شب بخیر رفیق!، احمد موسوی
- شب دردمند آرزومندی، فرج سرکوهی
- شعر و سیاست و بیست و چهار مقاله دیگر، مجید نفیسی
- شعر و فلسفه‌ی هولدرلین، (برگردان: مهدی استعدادی شاد)
- شورش، روایتی زنانه از انقلاب ایران، مهرانگیز کار
- شناخت‌شناسی نواندیشی دینی در ایران، احمد علوی
- عادل‌آباد، رنج ماندگار، جهانگیر اسماعیل‌پور
- علیه فراموشی، بررسی کمیسیون‌های حقیقت و دادخواهی، منیره برادران
- فراخوان، برگردان هفت فرگرد، محمود مسعودی
- فراموشم مکن، خاطرات زندان، عفت ماهباز
- فرهنگ اصطلاحات زندانیان سیاسی، اعظم کیاکجوری
- فلسفه اگزیستانس چیست؟، هانا آرنت، (مهدی استعدادی شاد)
- قانون اساسی سوئد، برگردان: طاهر صدیق
- قانون‌گذاری در باره‌ی حقوق زن، مهر انگیز کار
- قدرت و روشنفکران، مهدی استعدادی شاد
- قناری در متافیزیک کلمه، مسعود کریم‌خانی(روزبهان)
- کابوس بلند تیزدندان، ویراستار: بهروز شیدا
- گزارش به مردم، خاطرات دیپلمات سابق جمهوری اسلامی، علی‌اکبر امیدمهر
- گردنبند مقدس، مهرانگیز کار
- گزارش قتل‌ها و اعترافات سعید امامی، علی‌رضا نوری‌زاده
- گزارش یک زندگی، شهرنوش پارسی پور
- گفتگوی واژه‌ها و هنرهای کوچک، اگوست استریندبری، (برگردان: ثریا ناطقیان)
- گم‌شده در فاصله‌ی دو اندوه، بهروز شیدا
- ما و جهان تبعید، مجموعه مقالات، نسیم خاکسار
- ما و قهقرا)، نقد، مهدی استعدادی شاد
- مارکس پس از مارکسیسم، نقد و بررسی، بیژن رضایی
- مصطفی شعاعیان و رمانتیسم انقلابی، انوش صالحی
- مخمل سرخ رویا، بهروز شیدا
- معنای بخت در فرهنگ شفاهی و کتبی ایرانیان، شکوفه تقی
- معایب الرجال، تحقیق بی‌بی خانم استرآبادی، ویرایش افسانه نجم‌آبادی
- معرفی کتاب (مجموعه سوم)، به‌کوشش معین‌الدین محرابی
- معرفی کتاب و نشریات، به‌کوشش مسعود مافان
- مهستی گنجه‌ای، معین‌الدین محرابی
- می‌نویسم: توقف به فرمان نشانه‌ها، بهروز شیدا
- نظرات و مناظرات (مجموعه مقالات)، رامین کامران
- نیهیلیسم ویرانگر و ایدئولوژی نیاکانی، محمدرضا فشاهی
- هفت دات کام، یک وبلاگ فرضی، بهروز شیدا
- هزار بیشه، مقالات، سخنرانی‌ها، نقدها و ... ، سه زبانه (فارسی، فرانسه، انگلیسی)، مهشید امیرشاهی
- یادها و بودها، در باره تئاتر ایران، ایرج زهری
- یاس و داس، فرج سرکوهی
- یافته‌های کمیسیون حقیقت‌یاب، ایران تریبونال، ب عماد
-یکصد و شصت سال مبارزه با دیانت بهائی، فریدون وهمن